中華國學經典百部

精華本

三十六计

［明］佚名 著

胡乃波 评译

中国书店

图书在版编目（CIP）数据

三十六计 /（明）佚名著；胡乃波评译 . —北京：中国书店，2023.10

（中华国学经典百部：精华本）

ISBN 978-7-5149-2963-8

Ⅰ . ①三… Ⅱ . ①佚… ②胡… Ⅲ . ①兵法—中国—古代②《三十六计》—译文 Ⅳ . ① E892.2

中国版本图书馆 CIP 数据核字（2022）第 075464 号

三十六计

〔明〕佚名 著　胡乃波 评译

责任编辑：赵文杰

出版发行：中国书店

地　　址：北京市西城区琉璃厂东街 115 号

邮　　编：100050

电　　话：（010）63171753（总编室）

（010）63017857（发行部）

印　　刷：三河市嘉科万达彩色印刷有限公司

开　　本：787mm × 1092mm　1/32

版　　次：2023 年 10 月第 1 版第 1 次印刷

字　　数：67 千

印　　张：6（全 300）

书　　号：ISBN 978-7-5149-2963-8

定　　价：1490.00 元（全 50 册）

前言

《三十六计》是中华民族珍贵的文化遗产之一，是一部传习久远的兵法奇书，与《孙子兵法》合称我国古代兵法谋略学的双璧。“三十六计”是中国历代无数次战争的实践经验总结，被古今中外许多军事家广泛研习、应用。很多军事家利用“三十六计”中的谋略，在战争中取得了辉煌的胜利，为世人留下了一个个精彩绝伦的战例。

“三十六计”一语，最早可能来自南朝宋将檀道济。据《南齐书·王敬则传》：“檀公三十六策，走为上计，汝父子唯应走耳。”此语后人沿用，宋代惠洪《冷斋夜话》：“三十六计，走为上计。”到明末清初，引用此语的人更多。于是有心人采集群书，编撰成《三十六计》。但此书为何时何人所撰，已无法考证。

“三十六计”共分胜战计、敌战计、攻战计、混战计、并战计、败战计六套，合三十六个计策。“三十六计”每一计名都是耳熟能详、妇幼皆知的成语典故。其内容均依据《易经》中阴阳变化之理及古代兵家刚柔、奇正、攻防、彼己、虚实、主客等的相互转化思想推演而成，含有朴素辩证法的原理。正文后的按语，对每个计策进行了进一步阐释，并引证宋代以前的战例和孙武、吴起、尉缭子等兵家的精辟语句。

“三十六计”有着很强的实用性，不仅受军事家喜爱，其在各种处境下克敌制胜的智慧，更为很多政治家、外交家和商界领袖所推崇，成为社交、职场、销售、外交谈判的最实用指南，这也是《三十六计》经久不衰的魅力所在。

为使读者深刻领悟到《三十六计》中古人的超凡智慧，本书不仅保留了古籍中的文言原文以及文言按语，还对文言原文进行了详尽通俗的解释和翻译；对每一计策都有解题，以进一步分析每一计策的来源，并对文言按语进行了翻译，以使读者更好地理解。战例部分，选取了许多古代的著名战例，与每一计策相对照，可以加深读者对“三十六计”的深入领悟。

目录

第一套 胜战计

第一计
瞒天过海

【解题】

这一计名字出自《永乐大典·薛仁贵征辽事略》。“瞒天过海”用在兵法上，是一种示假隐真的疑兵之计，用来作为战役伪装，以期达到出其不意的效果。

【原文】

备周则意怠[1]，常见则不疑。阴在阳之内[2]，不在阳之对。太阳，太阴[3]。

【注释】

①怠：松懈。

②阴：秘密的。阳：公开的。

③太：大。

【译文】

防备周全时，更容易麻痹大意；习以为常的事，就不会对其产生怀疑。秘密常潜藏在公开的事物里，并非存在于公开暴露的事物的对立面。公开暴露的事物发展到极端，就形成了最隐秘的潜藏状态。

【按语】

阴谋作为，不能于背时秘处行之。夜半行窃，僻巷杀人，愚俗之行，非谋士之所为也。如开皇九年，大举伐陈。先是弼请缘江防人，每交代之际，必集历阳，大列旗帜，营幕蔽野。陈人以为大兵至，悉发国中士马，既而知防人交代，其众复散。后以为常，不复设备。及若弼以大军济江，陈人弗之觉也，因袭南徐州，拔之。

【按语译文】

施行秘计，不能在背时秘密处使用。半夜里偷东西，在僻静小巷中杀人，这是愚蠢的行为，都不是谋士应该做的。比如，隋朝开皇九年，贺若弼率领大军进攻陈国。战前他请求隋文帝准许沿江守备部队每次换防，都要在历阳集中，并且插上很多旗帜，搭起许多帐篷。陈国认为是隋军要大举进攻，就召集全部兵力防御，后来知道隋军是在调防，就把军队撤了回去。后来，陈国军队对隋军的做法习以为常，就不再防备。等到贺若弼率领大军渡过长江时，陈国军队也没有觉察。因此，隋军轻而易举地袭击了南徐州，并攻占了它。

【战例】

战国时，魏国会同赵国联合攻打韩国，韩国向齐国告急求救。齐国于是派大将田忌率军前去救韩，齐军直奔魏都攻打大梁城。魏将庞涓听到这个消息后，便从韩国紧急撤离赶回魏国。齐国军师孙膑对田忌说："魏国的军队向来自恃强悍勇猛而轻视我军，齐军被他们看成胆怯鬼和懦夫。善于用兵的人就应抓住其无比骄傲的弱点，利用这一点把魏军彻底打垮。兵法上说：'急行百里路去同敌人争夺利益的，就会损折前军主将；急行五十里去同敌人争夺利益的，只有半数兵力才能赶到。'因此，命令我军进入魏国境内后，第一天先垒筑十万个锅灶，第二天垒筑五万个锅灶，第三天垒筑三万个锅灶。"田忌采纳了孙膑的建议。庞涓率军回国后，追赶齐军走了三天，看到齐军沿途所垒的炊灶愈来愈少，非常高兴地说："我早就知道齐军胆小如鼠，进入我境才三天，齐国的士兵就已逃亡过半了。”于是，他丢下步兵，率领精锐骑兵昼夜兼程地猛追齐军。孙膑推算庞涓的行程情况和速度，确定庞涓在夜幕时候会赶到马陵。马陵的道路十分狭窄，两旁多为悬崖峭壁，可以埋伏人马，齐军刮去一棵大树的表皮，在其露白之处写上“庞涓死此树下”字样，又命令齐军万名射箭能手，埋伏于道路两旁。庞涓追到马陵，站在那棵树下，看到树干露白之处写有字迹，便让人点燃火把照亮写字处，然而在他还没有读完这些字的时候，齐军万箭骤然齐发，魏军顿时乱作一团，彼此失去联系。此时的庞涓知道自己已经走投无路，无计可施，失败已成定局，就拔剑自杀了。

第二计

围魏救赵

【解题】

这个故事出自《史记·孙子吴起列传》。“围魏救赵”，可以说是一种避实击虚的策略。水的流动规律是避开高处而流向低处，同样道理，用兵的规律是避开敌人的坚实之处而攻击其薄弱之处。

【原文】

共敌不如分敌①，敌阳不如敌阴②。

【注释】

①共：集中的。分：分散，使分散。

②敌：攻打。

【译文】

与其攻击兵力集中之强敌，不如设计分割敌方兵力，避实就虚，各个击破。攻打士气旺盛的敌人，不如攻打士气衰弱的敌人。

【按语】

治兵如治水：锐者避其锋，如导疏；弱者塞其虚，如筑堰。故当齐救赵时，孙子谓田忌曰："夫解杂乱纠纷者不控拳，救斗者不搏击，批亢捣虚，形格势禁，则自为解耳。"

【按语译文】

对敌作战，好比治水：敌人势头强大，就要躲过冲击，如用疏导之法分流。对弱小的敌人，就抓住时机将其消灭，就像筑堤围堰，不让水流走。所以当齐救赵时，孙子对田忌说："想理顺纠结的丝线和结绳，只能用手指慢慢去解开，不能握紧拳头去捶打；排解搏斗纠纷，只能动口劝说，不能动手参加。对敌人，应避实就虚，攻其要害，使敌方受到挫折，受到牵制，围困可以自解。"

【战例】

战国时，魏国梁惠王准备攻打赵国，就派大将庞涓统领八万大军直奔赵国，包围了赵国都城邯郸。赵王在危难之下向齐国求救，并允诺如果齐国出兵解围，即将中山赠予齐国。齐威王得到消息后，立即派大将田忌带兵驻扎在齐国和卫国（卫国此时依附于赵国）边境。庞涓攻打卫国，卫国危在旦夕，求救于田忌。

田忌问计于孙膑。孙膑指出，不能直接去救卫国。田忌迷惑不解，便问道：“如果不出兵去救卫国，那该怎么办呢？”孙膑说：“请将军出兵往南攻打魏国的平陵。平陵城池虽小，但管辖区域很大，兵力很强，是战略要地，易守难攻。我军故意攻打这里，以便迷惑敌军。并且要攻打平陵，存在许多困难，因为平陵南面是宋国，北面是卫国，途中还要经过魏国的市丘，这样一来我军的运粮通道很容易被切断。我们要故意装作不知道这种危险，进一步迷惑魏军。”田忌接受了孙膑的计谋，率军向平陵快速行进。将要到达平陵时，田忌又问孙膑：“到底该怎么攻打平陵呢？”孙膑说：“大将军，您难道还不明白我们的计谋吗？”田忌想了想说：“分兵前往齐城、高唐。”孙膑说：“正是如此，请派两位将领带兵从齐城、高唐攻击环涂地区的魏军。因为环涂是魏军屯驻之地。我军需要派出前锋发起猛烈进攻，但后续的主力部队要按兵不动。环涂的魏军必定会奋起反击，两位将军在这种情形之下肯定会打败仗，甚至牺牲。”于是，田忌分兵两路，从齐城、高唐向平陵进攻，士兵们像蚂蚁一样附壁而上，攀登平陵城墙。果然不出孙膑所料，齐军遭到魏军的夹击，大败。孙膑说：“现在可以立即派出轻装战车，往西直捣魏国都城城郊，激怒庞涓。庞涓必定回兵救魏国国都。我军派出少数兵力和庞涓交战，显出我军兵单力薄的样子，使他更加骄傲轻敌。”田忌依计而行。庞涓果然丢掉辎重，昼夜兼程回救魏都。这时孙膑带领主力部队在桂陵埋伏，一举战胜了庞涓。

第三计
借刀杀人

【解题】

这条计的名称出自明代戏剧《三祝记》。该剧说的是北宋时期，范仲淹的政敌密谋策划，让根本没有打仗经验的范仲淹领兵去征讨西夏，是想借兵强马壮的西夏军这把“刀”除掉范仲淹，达到他们阴险的目的。所谓借刀杀人，是指在对付敌人的时候，自己不动手，而利用第三者的力量去攻击敌人，以保存自己的实力。再进一步，则是巧妙地利用敌人的内部矛盾，使其自相残杀，以达到置敌于死地的目的。

【原文】

敌已明，友未定[①]，引友杀敌，不自出力，以《损》推演[②]。

【注释】

①友：指军事上的盟者，即敌、我两方之外的第三者中，可以一时结盟而借力的人、集团或国家。友未定，就是说盟友对主战的双方，尚持徘徊、观望的态度，其主意不明不定的情况。

②以《损》推演：用《损》卦来推理演算。根据《周易·损》卦的道理，“损”和“益”是可以相互转化的。这里指盟友攻敌可能受到损失，但他的损失可以换来自己的利益。

【译文】

攻击的目标已经确定，而友军犹豫不定。设计诱导友军攻击敌人，保存我方实力，掌握战争的主动权。这个道理可以用《损》卦来推演。

【按语】

敌象已露，而另一势力更张，将有所为，便应借此力以毁敌人。如郑桓公将欲袭郐，先向郐之豪杰、良臣、辨智、果敢之士尽书姓名，择郐之良田赂之，为官爵之名而书之，因为设坛场郭门之处而埋之，衅之以鸡猪，若盟状。郐君以为内难也，而尽杀其良臣。桓公袭郐，遂取之。

诸葛亮之和吴拒魏，及关羽围樊、襄，曹欲徙都，懿及蒋济说曹曰：“刘备、孙权外亲内疏，关羽得志，权必不愿也。可遣人劝蹑其后，许割江南以封权，则樊围自释。”曹从之，羽遂见擒。

【按语译文】

敌对的征象已经显露了，另外又发现一种势力在不断扩展，不久就会有所行动，这时就应该借用这种力量去消灭敌人。比如，春秋时期，郑桓公袭击郐国之前，先打听郐国有哪些有本领的文臣武将，开列名单，宣布将分别给他们封官爵，把郐国的土地送给他们，并煞有介事地在城外设祭坛，把名单埋于坛下，对天盟誓。郐国国君一听到这个消息，便怒不可遏，责怪臣子叛变，把名单上的贤臣良将全部杀了。结果当然是郑国轻而易举灭了郐国。

三国时诸葛亮献计刘备，联合孙权，用吴国兵力在赤壁大破曹兵。当蜀将关羽围困魏地樊城、襄阳时，曹操惊慌，想迁都避开关羽的威胁。司马懿和蒋济力劝曹操说："刘备、孙权表面上亲近，骨子里是疏远的。关羽得志，孙权肯定不愿意。可以派人劝孙权攻击关羽的后方，并答应把江南地方分给孙权，樊城的围困自然就会解开。"曹操用了他们的计谋，于是关羽兵败麦城。

【战例】

三国时，孔融向曹操荐举名士祢衡，祢衡却公开批评辱骂曹操。曹操对孔融说："祢衡这个人，非常无礼。今天我要杀他，和杀只麻雀老鼠有什么区别？只是他有奇异之才，远近闻名，我今天杀了他，会被天下人认为我不能容人。”于是，曹操没有杀祢衡，而是把祢衡送到刘表那里。祢衡来到刘表处，仍是一如既往地公开批评刘表。刘表非常恼火，但因为祢衡是当时的名士，也不敢杀他，怕担容不得人的骂名，于是刘表把祢衡送到自己的部将黄祖那里。祢衡来到黄祖处，仍然没有改变自己的秉性，在公开场合辱骂批评黄祖。黄祖是一介武夫，哪里容得下被人辱骂批评，一怒之下就把祢衡杀了。

第四计
以逸待劳

【解题】

这一计出自《孙子·军争篇》："故三军可夺气，将军可夺心。是故朝气锐，昼气惰，暮气归。故善用兵者，避其锐气，击其惰归，此治气者也。以治待乱，以静待哗，此治心者也。以近待远，以佚待劳，以饱待饥，此治力者也。"此计强调若使敌方处于困难局面，不一定只用进攻之法。关键在于掌握主动权，伺机而动，以不变应万变，以静对动，积极调动敌人，创造战机，不让敌人调动自己，而要努力牵着敌人的鼻子走。

【原文】

困敌之势，不以战[①]，损刚益柔[②]。

【注释】

①困敌之势：迫使敌人处于被围顿的境地。

②损刚益柔：语出《周易·损》卦。损，卦名。本卦为异卦相叠（兑下艮上）。上卦为艮，艮为山，下卦为兑，兑为泽。上山下泽，意为大泽浸蚀山根之象，也就是说有水浸润着山，抑损着山，故卦名叫“损”。“损刚益柔”是根据此卦象讲述“刚柔相推，而主变化”的普遍道理和法则。此计正是根据损卦的道理，以“刚”喻敌，以“柔”喻己，意谓困敌可用积极防御之法，逐渐消耗敌人的有生力量，使之由强变弱。

【译文】

用控制敌方力量发展的命脉来扼杀他，而不采取进攻的形势，这就是“损刚益柔”原理的演用。

【按语】

此即致敌之法也。兵书云："凡先处战地而待敌者佚，后处战地而趋战者劳。故善战者，致人而不致于人。"兵书论敌，此为论势，则其旨非择地以待敌，而在以简驭繁，以不变应变，以小变应大变，以不动应动，以小动应大动，以枢应环也。如管仲寓军令于内政，实而备之；孙膑于马陵道伏击庞涓；李牧守雁门，久而不战，而实备之，战而大破匈奴。

【按语译文】

这就是调遣敌人的方法。兵书说："凡是先到达战地而等待时机破敌的就从容，后到达战地而仓促应战的就疲劳。因此，善于作战的人，能够调动敌人，而不会被敌人调动。"兵书讲敌我双方的差异，这里讨论战争的态势。它的要点不在于选择好地形、等待时机破敌，而在于用简单的控制繁杂的，用不变对待万变，用小变对待大变，用静止对待活动，用小量的活动对待大量的活动，用关键的东西来对付无穷无尽的变化。

管仲在治理齐国内政时就进行军事训练，这实际上也是在备战；孙膑在马陵道上伏击庞涓；李牧镇守雁门，很久不同匈奴作战，实际上也是在备战，后来作战时，才能够打败匈奴。

【战例】

东晋时，前秦苻坚亲率九十万大军从长安南下，同时又命梓潼太守裴元略率水师七万从巴蜀向建康进军。整个行军队伍“前后千里，旗鼓相望。东西万里，水陆齐进”。苻坚骄狂地说：“以吾之众旅，投鞭于江，足断其流。”在苻坚大军压境，东晋面临生死存亡的危急关头，以谢安为首的主战派决定奋起抵抗。苻坚军队势如破竹，一路上，寿阳、郧城等地都被攻破。谢安决定集中兵力在淝水列阵，以逸待劳，待苻坚部队到来，趁其列阵休整时，给予迎头痛击。在淝水，双方在两岸相持不下。谢玄派使者去见苻融，用激将法对他说：“君悬军深入，而置阵逼水，此乃持久之计，非欲速战者也。若移阵少却，使晋兵得渡，以决胜负，不亦善乎？”秦军诸将都坚决反对，但苻坚认为没什么不好，他觉得让军队首先向后退，等到晋军渡河过半时，再以骑兵冲杀，这样就可以取得胜利。苻融也认为这样做是妙计，于是答应了谢玄的要求，命令秦军后撤。他没有想到秦兵士气一直低落，只要一撤退就会失去控制，阵势大乱。趁此机会，谢玄率领八千多骑兵，以最快速度抢渡淝水，向秦军发动猛攻。谢玄手下将领朱序则在秦军阵后大叫："秦兵败矣！秦兵败矣！"秦兵都信以为真，于是转身争先恐后地逃命，秦军大乱。苻融见大势不妙，急忙骑马前去阻止，以图稳住阵脚，但因战马被乱兵冲倒，苻融被晋兵杀死。主将被杀，秦兵更加混乱，彻底崩溃。前锋的溃败，形成连锁反应，引起后续部队的惊恐，也随之溃逃，结果整个部队仓皇向北败退。晋军乘胜追击，取得了淝水之战的胜利。

第五计
趁火打劫

【解题】

这一计出自《西游记》，意思是趁别人家里失火一片混乱时，去抢夺人家的财物。《战国策·燕二》中的著名寓言“鹬蚌相争，渔翁得利”，也是“趁火打劫”的形象体现。《孙子兵法·始计篇》云：“乱而取之。”唐朝杜牧解释孙子此句说“敌有昏乱，可以乘而取之”，就是讲的这个道理。

【原文】

敌之害大[①]，就势取利[②]，刚决柔也[③]。

【注释】

①害：指敌人所遭遇的困难。

②就势：趁势。

③刚决柔也：语出《周易·夬》卦。夬，卦名。本卦为异卦相叠（乾下兑上）。上卦为兑，兑为泽；下卦为乾，乾为天。兑上乾下，意为有洪水涨上天之象。《夬》卦的《象》辞说：“夬，决也。刚决柔也。”决，冲决、冲开的意思。此计是以“刚”喻己，以“柔”喻敌，言乘敌之危，就势而取胜。

【译文】

当敌方内部混乱时，就乘机取利，用优势力量攻击其软弱之处。

【按语】

敌害在内，则劫其地；敌害在外，则劫其民；内外交害，则劫其国。如越王乘吴国内蟹稻不遗种而谋攻之，后卒乘吴北会诸侯于黄池之际，国内空虚，因而捣之，大获全胜。

【按语译文】

敌方内部有灾荒、暴乱，就抢占他的土地；敌方外部有忧患，就要劫掠他的百姓；敌方内忧外患，就吞并他的国家。比如，越王趁吴国大灾荒的时候攻打吴国，后来趁吴王北上与诸侯在黄池盟会而国内空虚的时候，乘机攻打吴国，获得全胜。

【战例】

公元前496年，越国国王勾践即位。吴王趁越国刚刚遭到丧事，就发兵打越国。吴王阖闾满以为可以打赢，没想到却打了败仗，回到吴国就咽了气。阖闾临死之前对儿子夫差说：

“不要忘记报越国的仇。”夫差牢牢记住了这个嘱托，让人经常提醒他。他经过宫门时，侍卫就喊：“夫差！你忘了越王杀你父亲的仇吗？”夫差流着眼泪说：“不，不敢忘。”过了两年，经过精心准备，夫差率领大军去打越国。越国大臣范蠡对勾践说：“吴国练兵快三年了。这回决心报仇，来势凶猛。咱们不如守住城，不要跟他们作战。”勾践不同意，决定跟吴军决一死战。结果越军大败，勾践在会稽被吴军围困起来。最后勾践只能派文种到吴王那里去求和。文种在夫差面前把勾践愿意投降的意思说了一遍，吴王夫差答应了越国的求和，但是要勾践亲自到吴国去。勾践到了吴国，夫差让勾践夫妇俩住在简陋的石屋里，让勾践给他喂马。范蠡也跟着做奴仆的工作。夫差每次坐车出去，勾践就给他拉马，这样过了两年，夫差认为勾践真心归顺了他，就放勾践回国。吴王夫差被胜利冲昏了头脑，被勾践的种种言行迷惑，不把越国放在眼里。他骄纵凶残，拒绝纳谏，杀了一代名将伍子胥，重用奸臣，堵塞言路。他生活淫靡奢侈，大兴土木，搞得民穷财尽，民怨沸腾。而勾践回到越国后，立志报仇雪耻。他唯恐眼前的安逸消磨了志气，就在吃饭的地方挂上一个苦胆，每逢吃饭的时候，就先尝一尝苦味，还问自己："你忘了会稽的耻辱吗？"同时，他用柴草当作褥子，亲自参加耕种，让他的夫人自己织布，来鼓励生产。因为越国遭到亡国的灾难，人口大大减少，他制定出奖励生育的制度。同时，他虚心听从别人的意见，救济贫苦的百姓。几年之后，越王勾践选中吴王夫差北上和中原诸侯在黄池会盟的时机，大举进兵吴国。吴国国内空虚，无力还击，很快就被越国击破灭亡。

第六计

声东击西

【解题】

这一计出自唐代杜佑编纂的《通典》：“声言击东，其实击西。”声东击西，意思是忽东忽西，即打即离，制造假象，引诱敌人做出错误判断，然后乘机歼敌。此计是运用“坤下兑上”之卦象的象理，喻“敌志乱萃”而造成了错失丛杂、危机四伏的处境，然后抓住敌方混乱之势，灵活地运用时东时西、佯攻真攻等战术，出其不意地一举夺胜。

【原文】

敌志乱萃，不虞[①]，坤下兑上之象[②]，利其不自主而取之[③]。

【注释】

①不虞：没有预料。

②坤下兑上：《周易·萃》卦为坤下兑上，坤为地，兑为泽，泽水淹没大地，是洪水横流的混乱景象。

③取：夺取，消灭。

【译文】

敌人惊慌失措、斗志萎靡时，则无法应付和抵挡预料不到的攻击，这是《周易·萃》卦“坤下兑上”之卦象，要利用敌人不能自控之机，消灭他。

【按语】

西汉，七国反，周亚夫坚壁不战。吴兵奔壁之东南陬，亚夫便备西北。已而吴王精兵果攻西北，遂不得入。此敌志不乱，能自主也。

汉末，朱儁围黄巾于宛。张围结垒，起土山以临城内，鸣鼓攻其西南。黄巾悉众赴之。儁自将精兵五千，掩其东北，遂乘虚而入。此敌志乱萃，不虞也。然则声东击西之策，须视敌志乱否为定。乱则胜，不乱将自取败亡，险策也！

【按语译文】

西汉时，七国叛乱，周亚夫固守城池，坚决不出战。吴军假攻城东南角，周亚夫就下令加强防守西北角。不久吴王果然派出精锐兵力攻击西北角，叛军因而攻不进去。这是指挥者坚定沉着不受迷惑的例子。

东汉末年，朱儁围攻宛城的黄巾军。他为了便于观察敌情，先在城外垒起一座小土山，当他擂响战鼓，发出命令，指挥部队佯攻城西南方向的时候，黄巾军都跑到西南边去守备。于是朱隽亲自率领五千主力军，突然猛攻东北，攻进城去。这是战争中指挥者混乱，不能应付突然事变的例子。运用“声东击西”的计策，必须看敌人是否头脑清醒，是否了解我方情况。敌方头脑混乱，运用此计就能取胜；敌方镇静自如，运用此计就会失败。这是一条冒险的计策！

【战例】

中国台湾被荷兰殖民者侵占数十年，民族英雄郑成功立志收复台湾。1661年，郑成功率将士顺利登上澎湖岛，开始了收复台湾的征程。要收复台湾，赶走殖民者，必须先攻下赤崁城。郑成功了解到攻打赤崁城，只有两条航道可进。一条是南航道，这条航道港阔水深，船只可以畅通无阻，又较易登陆。但荷兰殖民者在此设有重兵，工事坚固，炮台密集。另一条是北航通，直通鹿耳门，但是这条航道水浅道窄，礁石密布，殖民者还故意凿沉一些船只，以阻塞航道。不过，荷兰殖民者只派少量兵力在此防守。郑成功进一步了解到，这条航道虽浅，但海水涨潮时，仍可以通大船。于是决定趁涨潮时先攻下鹿耳门，然后绕道从背后攻打赤崁城。郑成功计划已定，首先派出部分战舰，浩浩荡荡，装作从南航道进攻。荷兰殖民者急忙调集大批军队防守航道。为了迷惑敌人，郑成功的部队声威浩大，喊声震天，炮火不断，成功把殖民者的注意力全部吸引到了南航道。南航道激战正酣，北航道上一片沉寂，殖民者以为北边平安无事。郑成功便趁夜率领主力战舰，人不知鬼不觉地，趁海水涨潮时迅速登上鹿耳门。殖民者从梦中惊醒时，发现已被包围。郑成功乘胜进兵，从背后攻下赤崁城。荷兰殖民者狼狈逃窜，郑成功收复台湾，台湾终于回到祖国的怀抱。

第二套 敌战计

第七计
无中生有

【解题】

这一计名出自《老子》："天下万物生于有，有生于无。"无中生有，这个"无"，指的是"假"，是"虚"。这个"有"，指的是"真"，是"实"。无中生有，就是真真假假，虚虚实实，真中有假，假中有真。虚实互变，这样就可以扰乱敌人，使敌方判断失误，使敌方的行动产生失误。

【原文】

诳也[①]，非诳也，实其所诳也。少阴，太阴，太阳[②]。

【注释】

①诳：欺骗，假的。

②少阴：意思是虚实之间，有部分隐蔽。太阴：意思是非常隐蔽。太阳：意思是非常公开。

【译文】

假象，未必就是假的，其实那是利用假象掩盖着的真实的军事行动。虚实莫测的军事行为掩盖着隐秘的军事意图，隐秘的军事行动悄悄进行着，为的是将要发起的公开军事打击。

【按语】

无而示有，诳也。诳不可久而易觉，故无不可以终无。无中生有，则由诳而真，由虚而实矣。无不可以败敌，生有则败敌矣。如令狐潮围雍丘，张巡缚蒿为人千余，披黑衣，夜缒城下，潮兵争射之，得箭数十万。其后复夜缒人，潮兵笑，不设备，乃以死士五百砍潮营，焚垒幕，追奔十余里。

【按语译文】

没有的伪装成有的，是欺骗。但是欺骗不能长久，很容易被敌方觉察，因此伪装的假象不能让它始终存在。无中生有，是由虚假变为真实，由虚无变成实在。假象不能击败敌人，但是，如果把假象变为事实，就可以击败敌人了。比如，唐朝叛将令狐潮包围了雍丘（今河南省杞县），城中守将张巡下令扎了一千多个稻草人，给它们披上黑衣，然后在晚上用绳子放下城去。令狐潮的士兵以为城里出兵来偷袭，争相放箭。结果张巡得了几十万支箭。后来，张巡将士兵在夜里放下城去，令狐潮的士兵以为又是敌人在耍上次的把戏，就不再放箭。于是，张巡派出的五百名敢死队员冲到令狐潮军营，烧毁了他们的营寨和工事，一直追杀了十几里。

【战例】

汉代谋士东方朔一开始时俸禄微薄，不受汉武帝重视。东方朔对自己的处境很失望，就想改变自己的状况。一天，东方朔对宫中看马圈的侏儒们说："皇帝认为你们这些人毫无用处，耕田劳作种不好田，任职做官办不了事，参军入伍打不了仗，只会白白浪费衣物粮食，如今皇上要把你们全部杀掉。"侏儒们听后非常害怕，大哭起来。东方朔又教唆他们："皇上要从这里经过，你们何不叩头请罪？"过了一会儿，汉武帝果然从这里经过，侏儒们都跪在地上，一边磕头一边痛哭，汉武帝问是怎么回事。侏儒们说："东方朔说皇上要把我们全杀掉。"汉武帝很生气，马上命人把东方朔召来，责问东方朔。东方朔振振有词地说："侏儒身高三尺，俸禄是一袋粟、二百四十钱。臣身高九尺，俸禄也是一袋粟、二百四十钱。侏儒们都快胀死了，臣却吃不饱。如果皇上认为臣有才能，请用厚礼待我；如果认为臣无能，干脆放我回家，不要让我在这里消磨时光。”汉武帝听后大笑，知道是东方朔在对自己发牢骚，于是没有怪罪于他。不久，东方朔就被任命为金马门待诏，得到了汉武帝的重用。

第八计
暗度陈仓

【解题】

这一计是韩信创造的。“明修栈道，暗度陈仓”是楚汉相争时韩信运用过的一个计谋，是古代战争史上著名的成功战例。暗度陈仓，意思是采取正面佯攻，当敌军被我方牵制而集结固守时，我军悄悄派出一支部队迂回到敌后，乘虚而入，进行决定性的突袭。此计与声东击西计有相似之处，都有迷惑敌人、隐蔽进攻的意思。

【原文】

示之以动，利其静而有主[①]，《益》动而巽[②]。

【注释】

①主：主见，主张。

②《益》动：适时而动。巽：指风。

【译文】

故意采取佯攻行动，利用敌人已决定固守的时机，暗地里迂回到敌后进行偷袭，乘虚而入，出奇制胜。

【按语】

奇出于正，无正则不能出奇。不明修栈道，则不能暗度陈仓。昔邓艾屯白水之北，姜维遣廖化屯白水之南，而结营焉。艾谓诸将曰："维令卒还，吾军少，法当来渡而不作桥，此维使化持我，令不得还。必自东袭取洮城矣。"艾即夜潜军，径到洮城。维果来渡。而艾先至，据城，得以不破。此则是姜维不善用暗度陈仓之计，而邓艾察知其声东击西之谋也。

【按语译文】

出奇制胜，来自正常的法则。没有正常的用兵，就无从出奇制胜。不公开修筑栈道，也就无法暗中偷袭陈仓。从前邓艾伐蜀时在白水北岸驻兵，姜维派廖化进驻白水南岸，扎下营寨。邓艾对诸将说："姜维的部队突然开来，我方兵力不多，按照一般的作战规律，他应该不等造好桥就先渡河来攻，现在反倒没有动静，估计他是为了截断我军归路，特派廖化前来进行牵制，而他自己必定是率领大军从东袭取洮城去了。”于是，他下令当天夜晚从小路赶回洮城。果然，姜维正在那里渡河。但邓艾大军已先进城，所以城没有被攻陷。姜维不善于运用暗度陈仓的计谋，而邓艾却识破了姜维的声东击西之计。

【战例】

秦朝末年，政治腐败，群雄并起，纷纷反秦。刘邦的部队首先进入关中，攻进咸阳。项羽进入关中后，逼迫刘邦退出关中。后项羽设鸿门宴，刘邦赴宴险些丧命。刘邦脱险后，为避项羽锋芒，只得率部退驻汉中。刘邦退走时，将汉中通往关中的栈道全部烧毁，表示不再返回关中。刘邦这是在麻痹项羽，是假象，实际上刘邦一天也没有忘记击败项羽，争夺天下。公元前206年，刘邦的力量逐步强大，于是刘邦派大将军韩信出兵东征。出征之前，韩信派了许多士兵去修复已被烧毁的栈道，摆出要从原路杀回的架势。关中守军听到消息后，密切关注修复栈道的进展情况，并派主力部队在这条栈道各个关口要塞加紧防范，阻拦汉军进攻。韩信“明修栈道”的行动，吸引了项羽军队的注意力，并把项羽军队的主力调至栈道一线。韩信立即派大军绕道至陈仓，发动突然袭击，一举打败了项羽的重要将领章邯，平定三秦，取得了胜利。

第九计
隔岸观火

【解题】

隔岸观火，意思是在河的这岸看对岸失火，比喻在别人出现危难时，袖手旁观，从中得到好处。《孙子兵法·火攻篇》中孙子提出慎动之理，与隔岸观火之意比较吻合。在《火攻篇》后段，孙子强调，战争是利益的争夺，如果打了胜仗而无实际利益，这是没有作用的。“非利不动，非得（指取胜）不用，非危不战，主不可以怒而兴师，将不可以愠而致战。合于利而动，不合于利而止。”所以说一定要慎用兵，戒轻战，战必以利为目的。当然，隔岸观火之计，不等于站在旁边看热闹，一旦时机成熟，就要改“坐观”为“出击”，以取胜得利为目的。

【原文】

阳乖序乱[①]，阴以待逆[②]。暴戾恣睢[③]，其势自毙。顺以动《豫》，《豫》顺以动[④]。

【注释】

①阳：公开的。乖：违背，不协调。

②阴：暗下的。逆：叛逆。

③戾：凶暴，猛烈。睢：任意作为。

④顺以动《豫》，《豫》顺以动：语出《周易·豫》卦。豫卦的意思是顺时而动，正因为豫卦之意是顺时而动，所以天地能随和其意，做事就顺当自然。

【译文】

敌方内部分裂，秩序混乱，我方静观其变；敌人穷凶极恶，自相仇杀，势必自取灭亡。敌势进一步恶化，我方不失时机，顺势出击，取得胜利。因此，我方要依据敌情特点进行策划，还要顺应敌情变化见机行事。

【按语】

乖气浮张，逼则受击，退而远之，则乱自起。昔袁尚、袁熙奔辽东，尚有数千骑。初，辽东太守公孙康恃远不服。及曹操破乌丸，或说曹遂征之，尚兄弟可擒也。操曰：“吾方使斩送尚、熙首来，不烦兵矣。”九月，操引兵自柳城还，康即斩尚、熙，传其首。诸将问其故，操曰：“彼素畏尚等，吾急之，则并力；缓之，则相图，其势然也。”或曰：“此兵书火攻之道也。”按兵书《火攻篇》前段言火攻之法，后段言慎动之理，与“隔岸观火”之意亦相吻合。

【按语译文】

敌人自相倾轧的气氛暴露后，不要去逼迫他，否则会受到他的还击；避开他，敌人反而会发生内乱。以前袁尚、袁熙被曹操打败，带着几千人马逃到辽东去。起初，辽东太守公孙康，依仗着自己地处僻远，不肯臣服曹操。当曹操打败乌丸后，有人建议他立刻乘胜远征公孙康，擒住袁尚、袁熙兄弟。曹操说："我正要叫公孙康杀掉袁尚、袁熙，把他们的头送来，根本用不着劳师远征。"九月，曹操从柳城率领大军回来，公孙康果然杀了袁尚、袁熙，并把他们的头送了来。众将问曹操为什么公孙康要这样做，曹操说："公孙康素来惧怕袁尚等人，我用兵急攻，他们必定联合起来对抗；我如果不急攻，他们就会互相残杀，这种形势是必然的。"有人说："这是《孙子兵法·火攻篇》的道理。"按《火攻篇》前段谈的是火攻的方法，后段谈的是慎于用兵的道理，这与"隔岸观火"的意思是相吻合的。

【战例】

曹魏灭掉蜀国后，三国鼎立的局势就此瓦解，形成了魏、吴对抗的局面。不久之后，魏国大将司马炎去魏称帝，改国号为晋。司马炎继续推行统一中国的战略：一方面，他下令在蜀地江岸大造战船、日夜训练水军，为日后同吴国决战做好充分准备；另一方面，他发现吴国军队实力强大，如果硬碰硬地交战，只会导致两败俱伤，因此不如采取观望、等待的战略，待吴国的国力、军备有所削弱后，再去进攻。

吴国虽然富足，但孙权统治集团内部矛盾日渐激化，纷争激烈。朝廷大臣各树派系，各拥储君。孙权废太子孙和，新立太子孙亮，致使两派的怨恨加深。孙权死后，孙亮即位，孙林派系发动政变，废除孙亮，孙林即位。孙林死后，又经过一番激烈的争斗，孙皓即位。孙皓上任后，大加报复，不惜采用“剥面皮、挖眼睛、灭三族”的残暴手段，过去的仇敌几乎灭绝。他又动用大量的人、财、物力，迁都武昌，最后引起江南民众起义，又被迫还都。吴国经过长期的内部斗争，国力大大削弱，民心、军心十分低落。西晋静待时机，隔岸观火，见灭吴的时机已经成熟，于是大举进攻吴国。三个多月后，吴国灭亡，西晋统一了全国。

第十计
笑里藏刀

【解题】

这一计出自《旧唐书·李义府传》："义府貌状温恭，与人语必嬉怡微笑，而褊忌阴贼。既处权要，欲人附己，微忤意者，辄加倾陷。故时人言义府笑中有刀。"子曰："巧言令色，鲜矣仁。"那种花言巧语，表面装出一副伪善面孔的人，很少讲究仁义道德。古代兵法早就提醒过：切不可轻信对方的甜言蜜语，要谨防他们暗中隐藏的杀机。此计用于军事、政治、外交等方面的伪装上，有时能打得对方措手不及，令对方悔之晚矣。

【原文】

信而安之[1]，阴以图之[2]。备而后动[3]，勿使有变。刚中柔外也。

【注释】

①信：使敌人相信。安：使敌人安定。

②阴：暗地里。图：图谋，谋取。

③动：意思是伺机而动。

【译文】

外示友好，麻痹敌方；内藏机谋，暗伏杀机。为了确保战争胜利，我方必须做好战前的充分准备，伺机击敌而不为敌人所察觉，这是刚蕴于中而柔表其外的计策。

【按语】

兵书云："辞卑而益备者，进也……无约而请和者，谋也。"故凡敌人之巧言令色，皆杀机之外露也。宋曹玮知渭州，号令明肃，西夏人惮之。一日，玮方对客弈棋，会有叛卒数千，亡奔夏境。堠骑报至，诸将相顾失色，公言笑如平时。徐谓骑曰："吾命也，汝勿显言。"西夏人闻之，以为袭己，尽杀之。此临机应变之用也。若勾践之事夫差，则意使其久而安之矣。

【按语译文】

兵书上说："敌方的言辞谦卑并在暗中加紧准备，说明他们正在准备进攻我方……没有具体条件而请和，说明敌方另有阴谋。"所以凡是敌人假装笑脸讨好我方时，实际上就表露了要消灭我方的企图。宋代曹玮任渭州知州时，号令非常严明，西夏人都很怕他。有一天，他正和客人下棋，恰好有几千名兵士叛变，逃到西夏去了。当侦察兵跑来报告时，军官们听了，都大惊失色，只有曹玮还谈笑自若，神情和平时没有什么两样。曹玮对侦察兵说："那是我命令他们去的，你们不要声张。"西夏人得知此事，以为他们真是来袭击自己的，于是把这些逃兵全都杀了。这是随机应变的计谋。至于像越王勾践长期忍辱负重侍奉吴王夫差，那就是长期麻痹敌人，使敌人安逸，而令敌方一直没有察觉。

【战例】

三国时期，关羽镇守荆州，孙权一直有夺取荆州的想法。孙权派当时毫无名气的青年将领陆逊驻守陆口。陆逊上任，并不显山露水，定下与关羽"假和好真备战"的策略。陆逊于陆口到任后，便写信向关羽示弱，说自己一介书生年纪太轻，难担大任，要关羽多加指教。关羽看信后，放松了对东吴的警惕，从防守荆州的守军中调出大队人马，去攻打曹操的部队。陆逊暗地里派人向曹操通风报信，约定双方一起行动，夹击关羽。关羽大意失荆州，终败走麦城。

第十一计
李代桃僵

【解题】

这一计出自《乐府诗集·鸡鸣篇》：“桃生露井上，李树生桃旁。虫来啮桃根，李树代桃僵。树木身相代，兄弟还相忘？”本意是指兄弟要像桃李共患难一样相互帮助，相互友爱。此计用在战争军事上，指在敌我双方势均力敌，或者敌优我劣的情况下，用小代价换取大胜利。古人云：“两利相权从其重，两害相衡趋其轻。”以少量的损失换取很大的胜利，是划得来的。

【原文】

势必有损，损阴以益阳[1]。

【注释】

①损阴以益阳：阴，指某些细微的、局部的事物。阳，指整体性的、全局性的事物。这句话意思是在军事谋略上，如果暂时要以某种损失、失利为代价才能最终取胜，指挥者应当机立断，做出某些局部或暂时的牺牲，去保全或者争取全局的整体性的胜利。

【译文】

当局势发展有所损失的时候，要舍得局部的损失，以换取全局的优势。

【按语】

我敌之情，各有长短。战争之事，难得全胜。而胜负之决，即在长短之相较；而长短之相较，乃有以短胜长之秘诀。如以下驷敌上驷，以上驷敌中驷，以中驷敌下驷之类，则诚兵家独具之诡谋，非常理之可测也。

【按语译文】

两军对峙，敌我双方的实力各有长短。在战争中，全面胜利是很难做到的。战争的胜负，取决于双方力量的较量，占优势的一方常常会取得胜利。但是，在力量的相互较量中，劣势战胜优势的巧妙方法也是存在的。类似孙膑为田忌谋划的以下等马对上等马，以上等马对中等马，以中等马对下等马的妙计，这是兵家独具的计谋，不是一般的常理可以推测的。

【战例】

三国时期，曹操和袁术交战，相持几个

月，袁术只是坚守却不出战，曹操久攻不下，战争处于胶着状态。由于曹操远离后方，军中的粮草要用光了，而需要的粮草又不能及时运到，为了节省粮食，曹操把典仓吏王垕叫来，让他用小斗付粮以解燃眉之急。过了不久，士兵们因为口粮不足普遍产生不满情绪，士气也很低落。曹操知道，在战场上军心不稳则必败无疑，于是把王垕叫到帐中，对他说，要借他一样东西，稳定军心。王垕说："只要能为您排忧解难，我什么也在所不惜。"曹操突然变色，厉声说："就是你的头。"说完，手起刀落，斩下了王垕的头。曹操走出营帐，通告全军："典仓吏王垕故意克扣军粮，现已查实，特斩首示众。"士兵们不知真相，还以为曹操公正无私，不满情绪很快就消失了。

第十二计
顺手牵羊

【解题】

顺手牵羊是看准敌方出现的漏洞，抓住薄弱点，乘虚而入获取胜利的谋略。古人云："善战者，见利不失，遇时不疑。"意思是要捕捉战机，乘隙争利。顺手牵羊可以说是人类贪婪的本性最自然的流露。实施此计，在于一个"顺手"，即来去顺路，取之顺手，赢之顺时，得之顺便。如果情况不允许却强行取利，就会劳而无功，甚至会影响大局。

【原文】

微隙在所必乘[1]，微利在所必得。少阴[2]，少阳[3]。

【注释】

①微隙：微小的空隙，指敌方的某些漏洞。

②少阴：指敌方小的疏漏。

③少阳：指我方小的得利。

【译文】

微小的漏洞必须利用，微小的利益也必须获得。变敌人小的疏忽，为我方小的胜利。

【按语】

大军动处，其隙甚多，乘间取利，不必以战。胜固可用，败亦可用。

【按语译文】

大部队在调动的过程中，漏洞一定很多，乘此机会就可以获利，不一定要作战。胜利时可以使用，失败也可以使用。

【战例】

唐朝中期，地方节度使都拥有军事经济大权，根本不把朝廷放在眼里。蔡州节度使的儿子吴元济在其父亲死之后起兵叛乱。唐宪宗派大将李愬担任唐州节度使，负责剿灭吴元济。李愬到任，为麻痹吴元济而散布流言说他自己是个懦弱无能的人，朝廷派他来，只是为了安顿地方秩序，至于攻打吴元济，与他无干。吴元济见李愬没有进攻之意，就放松了警惕，李愬乘机擒获了吴元济手下大将李佑，对他十分优待，感动了李佑。李佑告诉李愬，吴元济的主力都在洄曲一带防止官兵进攻，而吴元济所在的蔡州实际空虚，可以出奇制胜，活捉吴元济。李愬在一个雪天的夜晚，率精兵抄小路直抵蔡州，趁守城士兵呼呼大睡时，杀了守兵，打开城门，悄悄进城包围了吴元济的宅第，抓住了吴元济，守在洄曲的将士见大势已去，就投降了李愬。

第三套 攻战计

第十三计
打草惊蛇

【解题】

这一计载于宋代郑文宝《南唐近事·类说二一》一书。唐代王鲁为当涂县令，搜刮民财，贪污受贿。有一次，县民控告他的部下主簿贪赃。他见到状子，十分惊骇，情不自禁在状子上批了八个字："汝虽打草，吾已惊蛇。"兵法早已告诫指挥者，进军的路旁，如果遇到险要地势，坑地水洼，芦苇密林，野草遍地，一定不能麻痹大意，稍有不慎，就会被埋伏之敌所歼。打草惊蛇之计，一则指对于隐蔽的敌人，己方不得轻举妄动，以免敌方发现我军意图而采取主动；二则指用佯攻助攻等方法"打草"，引蛇出洞，中我埋伏，聚而歼之。

【原文】

疑以叩实[1]，察而后动。复者，阴之媒也[2]。

【注释】

①叩：查询，调查。

②媒：方法，手段。

【译文】

发现了疑点，就应该去调查清楚，把情况调查清楚后再行动。反复调查那些疑点，才是发现一些隐藏着的事物和阴谋的手段。

【按语】

敌力不露，阴谋深沉，未可轻进，应遍探其锋。兵书云："军旁有险阻、潢井、葭苇、山林、翳荟者，必谨复索之，此伏奸之所藏也。"

【按语译文】

敌方兵力没有暴露，一定隐藏着阴谋，不可冒失轻进，应该全面仔细地搜索敌方的前锋。兵书上说："进军的路旁，如果遇到险要地形、池坑水洼、芦苇丛生、野草茂密的地方，就必须谨慎地反复搜索，这些地方有可能是敌人埋伏的所在。"

【战例】

楚成王时，立子商臣为太子。后来楚成王又想立庶子公子职为太子，欲废黜太子商臣。商臣听到这个消息后，很着急，但不知消息是否属实。于是，商臣向他的老师潘崇讨主意。潘崇让他摆下宴席招待楚成王的妹妹江芈，并且在酒席上故意流露出对江芈不尊敬的神态。商臣依计行事。江芈因为楚成王特别宠爱她，平时就飞扬跋扈，谁都瞧不上。在宴席上，商臣的傲慢举动使她很生气，在离席时，她怒道："成王要废掉你真是应该啊！"然后拂袖离去。商臣一听，证实了楚成王要废掉自己的消息。于是，他策划了宫廷政变，逼楚成王自杀，夺取了王位。

第十四计
借尸还魂

【解题】

借尸还魂，原意是说已经死亡的东西，又借助某种形式得以复活。用在军事上，是指利用、支配那些没有作为的势力来达到我方目的的策略。历史上，在改朝换代的时候，某些政治势力喜欢推出亡国之君的后代，打着他们的旗号，来号召天下。用这种“借尸还魂”的方法，达到夺取天下的目的。在战场上，指挥官一定要善于分析战争中局势的变化，要善于利用可以利用的力量。有时，即使我方受挫而处于被动局面，如果善于利用敌方矛盾，利用一切可以利用的力量，也能够变被动为主动，改变战争形势，达到取胜的目的。

【原文】

有用者①，不可借②；不能用者③，求借。借不能用者而用之。匪我求童蒙④，童蒙求我。

【注释】

①有用者：才智高于我者。

②借：借助，使用。

③不能用者：愚庸而顺从者。

④匪：非。童蒙：不懂事的孩子，愚者。

【译文】

才智高于我的人，不为我所用；愚庸而顺从的人，可用。拿愚庸而顺从的人来使用，不是我求助于愚者，而是愚者求助于我。

【按语】

换代之际，纷立亡国之后者，固借尸还魂之意也。凡一切寄兵权于人，而代其攻守者，皆此用也。

【按语译文】

每当改朝换代的时候，人们就纷纷扶立亡国君主的后代，这就是一种借尸还魂的计谋。凡是让军队依附于别人，并代替别人进行进攻或防守的，都是用的这种计谋。

【战例】

三国时，刘孙曹赤壁大战后，刘备势力增强，但还不够雄厚，无法与孙权、曹操抗衡。他们三方都盯住四川，那里地理位置好，资源丰富，是个可以大展宏图的好地方。但是，曹操势力强，虎视眈眈，刘备、孙权一时都无法对四川下手。215年，曹操进攻汉中，益州告急。守将刘璋怕曹操进攻四川，请来刘备共同抵御曹操，刘备便率兵进入益州。一日，刘备接到荆州来信，说曹操兴兵侵犯孙权。刘备便请刘璋派三万精兵前去助战，刘璋怕削弱自己的实力，只同意派三千老兵出川。刘备非常生气，大骂刘璋："我为你倾力抵御曹操，你却如此小气！"于是向刘璋宣战，乘机直捣成都，完成了占领四川的计划。刘备就是借刘璋这个"尸"，占据了四川，为以后建立蜀国打下了基础。

第十五计
调虎离山

【解题】

调虎离山，这条计用在军事上，是一种调动敌人的谋略。它的核心在一个“调”字。如果敌方占据有利地势，并且兵力众多，防范严密，此时，我方不可硬攻，正确的方法是设计相诱，把敌人引出坚固的据点，或者把敌人诱入对我军有利的地区，这样做才能取胜。调动敌人是一个关键，一定要审时度势，因势利导，灵活巧妙地运用。可以用虚虚实实的手法迷惑敌人，使之在判断上失误，使其如无头苍蝇，到处乱窜，再伺机把敌人引诱到不利的地形上。

【原文】

待天以困之[①]，用人以诱之[②]，往《蹇》来连[③]。

【注释】

①天：指自然的各种条件或情况。

②用人以诱之：用人为的假象去诱惑敌人。

③往《蹇》来连：语出《周易·蹇》卦。蹇，卦名。本卦为异卦相叠（艮下坎上）。上卦为坎为水，下卦为艮为山。山上有水流，山石多险，水流曲折，言行道之不容易。蹇，困难。连，艰难。

【译文】

等待天时对敌方不利时再去围困他，用人为的假象去诱骗他。如果往前有危险，就诱使敌方过来。

【按语】

兵书曰："下政攻城。"若攻坚，则自取败亡矣。敌既得地利，则不可争其地。且敌有主而势大：有主，则非利不来趋；势大，则非天人合用不能胜。汉末，羌率众数千，遮虞诩于陈仓、崤谷。诩即停军不进，而宣言上书请兵，须到乃发。羌闻之，乃分抄旁县。诩因其兵散，日夜进道，兼行百余里，令军士各作两灶，日倍增之。羌不敢逼，遂大破之。兵到乃发者，利诱之也；日夜兼进者，用天时以困之也；倍增其灶者，惑之以人事也。

【按语译文】

兵书上说："攻城是下策。"如果不问条件硬攻，那是自取灭亡。敌人已经占了地利，就不要去争夺，何况敌人已有准备，兵力又多。当敌人有了准备时，如果不用小利去引诱，敌人是不会前来进攻的；敌人兵力多，我方如果不把自然和人为的条件结合起来加以运用，就不能取得胜利。东汉末年，几千羌人把虞诩拦截在陈仓、崤谷，虞诩被迫停下来，他四处扬言说要打报告请求援兵，必须等到救兵来了再前进。羌人听了，就分散到邻近县抢劫。虞诩看到羌人分散，就不分昼夜地前进，每天急行军一百多里。他又命令士兵每人各作两灶，逐日加倍，羌人以为虞诩的救兵来了，不敢进攻，于是虞诩大举反击，把羌人打得大败。虞诩扬言救兵来了再走，是用引诱的办法使羌人为抢劫财物而分散兵力；日夜急行军，是给羌人造成时间上和空间上的被动；加倍修灶，是用人为的假象来欺骗羌人。

【战例】

东汉末年，群雄争霸。江东的孙策，年轻有为，继承父志，势力逐渐强大起来。199年，孙策欲向北推进，准备夺取江北庐江郡。庐江郡由刘勋占据，南有长江之险，北有淮水阻隔，易守难攻。孙策知道，如果硬攻，取胜的机会很小。他和众谋士制定出一条调虎离山的计策。针对刘勋贪财的毛病，孙策派人给刘勋送去一份厚礼，并在信中把刘勋大肆吹捧一番，表示要与刘勋交好。孙策还以弱者的身份向刘勋求救。他说："上缭经常派兵侵扰我们，我们力弱，不能远征，请求将军发兵征服上缭，我们感激不尽。"刘勋见孙策极力讨好他，万分得意。上缭一带，十分富庶，刘勋早想夺取，今见孙策软弱无能，免去了后顾之忧，决定发兵上缭。孙策时刻监视刘勋的行动，见刘勋亲自率领几万兵马去攻上缭，城内空虚，心中大喜，说："老虎已被我调出山了，我们赶快去占领它的老窝吧！"于是立即率领人马，水陆并进，袭击庐江，取得了胜利。刘勋猛攻上缭，一直不能取胜。突然得报，孙策已取庐江，方知中了孙策的调虎离山之计，但后悔已经来不及了，只得投奔曹操。

第十六计
欲擒故纵

【解题】

早在《老子》一书中，就有“欲擒故纵”的提法。《老子》说：“将欲歙之，必固张之；将欲弱之，必固强之；将欲废之，必固兴之；将欲夺之，必固与之。”欲擒故纵中的“擒”和“纵”，是一对矛盾。在军事上，“擒”是目的，“纵”是方法。古人有“穷寇莫追”的说法。实际上，不是不追，而是看怎样去追。把敌人逼急了，他们只得集中全力，拼命反扑，不如暂时放松一步，使敌人丧失警惕，斗志松懈，然后再伺机而动，歼灭敌人。

【原文】

逼则反兵[1]，走则减势[2]。紧随勿迫，累其气力，消其斗志，散而后擒，兵不血刃[3]。《需》，有孚，光[4]。

【注释】

①逼：逼迫。

②走：逃跑。

③血刃：血染刀刃。

④《需》，有孚，光：语出《周易·需》卦。需，卦名。本卦为异卦相叠（乾下坎上）。需的下卦为乾为天，上卦为坎为水，是降雨在即之象。需卦象征着一种危险的存在，必须突破它，但突破危险又要善于等待。

【译文】

逼敌太紧就会遭到反击，纵敌逃跑便可削其气势。紧随其后而勿逼，借此消耗敌人的体力，瓦解敌人的斗志，待其军心溃散，我方乘势出击，以最小的代价消灭他！要善于隐忍、等待；要有信心，坚持不懈，才能取得胜利。

【按语】

所谓纵者，非放之也，随之，而稍松之耳。“穷寇勿追”，亦即此意。盖不追者，非不随也，不追之而已。武侯之七纵七擒，即纵而蹑之，故展转推进，至于不毛之地。武侯之七纵，其意在拓地，在借孟获以服诸蛮，非兵法也。若论战，则擒者不可复纵。

【按语译文】

这里讲的“纵”，不是对敌人放任，而是尾追敌人。陷入绝境的敌人不要追得过分紧迫，也就是这个意思。所谓不追，并不是不尾随追踪，只是不过分地紧逼罢了。三国时诸葛亮施用七纵七擒的计谋，就是既释放孟获，而又追踪他，辗转反复，逐次推行到边远地方。诸葛亮的这个计谋，意在扩大疆土，借孟获作为典型，从而降服其他少数民族。这并不是兵书上所说的作战方法。如果按兵法的要求，捉住敌人之后是不能轻易放掉的。

【战例】

诸葛亮七擒孟获，就是军事史上一个“欲擒故纵”的经典战例。223年，益州的雍闿起兵叛乱，在东吴的支持下，雍闿利诱永昌郡少数民族首领孟获、越嶲郡的夷族首领高定、牂牁郡的朱褒一起叛蜀。225年，诸葛亮开始平定南中的行动。诸葛亮抓住时机，歼灭了高定、朱褒的叛军，收复了越嶲郡和牂牁郡，从心理上给孟获及南中的叛军一种震慑。诸葛亮仔细分析了孟获的个人情况，制定“攻心为上”的策略，演绎了一出“七擒孟获”的经典战例。第一次，双方在益州城大战，诸葛亮在战场上生擒孟获，孟获不服，诸葛亮释放了孟获。第二次，诸葛亮用计使孟获的副将擒了孟获交给诸葛亮，孟获却还是不服，诸葛亮又放了他。如此反复，诸葛亮六次生擒孟获，后又都放了他。待第七次生擒后，孟获才对诸葛亮心服口服，发誓再不起叛乱之心。诸葛亮平定南中叛乱以后，马上从南中撤军，并委任孟获为御史中丞，掌管南中地区。诸葛亮又帮助开发南中地区经济，使南中地区百姓对蜀汉政权心存感恩，也为蜀汉建立了一个稳固的大后方。

第十七计
抛砖引玉

【解题】

这一计出自《传灯录》。相传唐代诗人常建听说赵嘏要去游览苏州的灵岩寺。为了请赵嘏作诗，常建先在庙壁上题写了前两句，赵嘏见到后立刻提笔续写，而且比前两句写得好。后来文人称常建的这种做法为“抛砖引玉”。此计用于战争，是指用相类似的事物去迷惑、诱骗敌人，使其上当，然后乘机击败敌人的谋略。“砖”和“玉”，是一种形象的比喻。“砖”指的是小利，是诱饵；“玉”指的是作战的目的，即大的胜利。“引玉”是目的，“抛砖”则是手段。钓鱼需用钓饵，先让鱼儿尝到一点甜头，它才会上钩；敌人占了一点便宜，才会误入圈套，吃大亏。

【原文】

类以诱之[1]，击蒙也[2]。

【注释】

①类：类同，类似。

②击蒙：出自《周易·蒙》卦，意思是攻击处于受蒙骗状态的敌人。

【译文】

用类似的方法引诱敌人，从而打击被蒙骗的敌人。

【按语】

诱敌之法甚多，最妙之法，不在疑似之间，而在类同，以固其惑。以旌旗金鼓诱敌者，疑似也；以老弱粮草诱敌者，则类同也。如楚伐绞，军其南门，屈瑕曰："绞小而轻，轻则寡谋，请勿捍采樵者以诱之。"从之，绞人获利。明日，绞人争出，驱楚役徙于山中。楚人坐守其北门，而伏诸山下，大败之，为城下之盟而还。又如孙膑减灶而诱杀庞涓。

【按语译文】

迷惑敌人的方法很多，最巧妙的方法不是用似是而非的方法，而是用类似的方法使敌人迷惑。凡是张设旗帜、敲锣打鼓去迷惑敌人的是用的似是而非的方法；用老弱残兵以及粮草去迷惑敌人的，是用类似的方法。比如楚国进攻绞国，绞国闭门不出，楚军只好在城外与敌人对峙。楚国大臣屈瑕向楚王建议说："绞军急躁好斗，急躁就缺少计谋，可以派些士兵去打柴，又不用人保护他们，这样可引诱敌人出动。”楚王同意了。于是绞人轻而易举地捉住了楚国士兵假扮的打柴人。第二天，绞人看见打柴人便又争先恐后地跑出城追赶，伪装打柴的楚军向山中逃跑，绞人一直追到山里。楚国军队乘机堵住绞国都城的北城门，截断了他们的退路，事先埋伏在山下的楚军大举进攻，彻底打败了绞国，使他们不得不投降。再如孙膑用减灶的方法杀了庞涓也是用了“抛砖引玉”的计谋。

【战例】

战国时期，七国并起，都想兼并其他国家。秦国联合赵国出兵攻打魏国，秦王答应赵王，胜利后，将魏国邺城赠给赵国。魏国派遣谋士张倚到赵国去，准备离间秦赵联盟。张倚见了赵王，说：“邺城这个地方，照目前的形势来看，是保不下去了，迟早要陷落，大王联合秦国攻打我国，不外是为了扩大土地，为了避免战火，魏王有意把邺城献给大王。”张倚又进一步说：“两军发生战争，受苦的是百姓，魏王以仁慈治国，不愿使百姓遭殃，希望和平解决！魏赵本是兄弟，秦国如同虎狼，与其让国土落入虎口，还不如交给朋友。如果大王愿和魏王做朋友，就与秦国断交，不然，魏国只有誓死保卫国土了。”赵王一听，到手的肥羊岂能白白放过，就答应了魏国的条件，立即宣布与秦国断交。秦王听到消息后，认为赵王是在故意玩弄他，就取消了进攻魏国的计划，反而仇视赵国。赵王派军队去接管邺城，哪知邺城将领根本不认账。赵将看到自己带的人少，垂头丧气地回去报告了赵王，赵王大惊，才知道上了魏国的当。又听说秦国正在联络魏国，要结成军事同盟，进攻赵国，赵王更加惶恐不安，于是召开紧急会议商量对策。最后，赵王无奈主动割让五座城池给魏国，并和魏国联合起来一起对抗秦国。

第十八计
擒贼擒王

【解题】

这一计出自唐朝诗人杜甫《前出塞》诗："挽弓当挽强，用箭当用长。射人先射马，擒贼先擒王。"此计用在战争上，是指打垮敌军主力，擒拿敌军首领，使敌军彻底瓦解的计谋。擒贼擒王，就是捕杀敌军首领或者摧毁敌人的首脑机关，使敌方陷于混乱，便于彻底击溃之。指挥员不能满足于小的胜利，要通观全局，扩大战果，以得全胜。如果错过时机，放走了敌军主力和敌方首领，就好比放虎归山，后患无穷。

【原文】

摧其坚，夺其魁[①]，以解其体。龙战于野，其道穷也[②]。

【注释】

①魁：指敌方首领。

②龙战于野，其道穷也：语出《周易·坤》卦。坤，卦名。本卦是同卦相叠（坤下坤上），为纯阴之卦。引本卦上六，《象》辞："龙战于野，其道穷也。"强龙即使争斗在田野大地之上，也是走入了困顿的绝境，比喻战斗中擒贼擒王谋略的威力。

【译文】

摧毁敌人的主力，抓住敌军的首领，就能够瓦解敌军的整个力量。这好比强龙离开大海到田野中争斗只会使其陷入绝境。

【按语】

攻胜，则利不胜取。取小遗大，卒之利，将之累，帅之害，功之亏也。全胜而不摧坚擒王，是纵虎归山也。擒王之法，不可图辨旌旗，而当察其阵中之首动。昔张巡与尹子奇战，直冲敌营，至子奇麾下，营中大乱，斩贼将五十余人，杀士卒五千余人。巡欲射子奇而不识，剡蒿为矢。中者喜，谓巡矢尽，走白子奇，乃得其状。使霁云射之，中其左目，几获之，子奇乃收军退还。

【按语译文】

战争中打败敌人，利益是取之不尽的。如果满足于小的胜利而错过了获取大胜的时机，那是士兵的胜利，将军的累赘，主帅的祸害，战功的损失。打了全胜的仗，而不去摧毁敌军主力，不去摧毁敌军指挥部，捉拿敌军首领，那就好比放虎归山，后患无穷。捉拿敌人首领的方法，不要只从旗帜上去辨别，而应当观察敌方阵地上谁是首要指挥者。从前张巡跟尹子奇作战，张巡指挥的部队直冲到敌营中，一直到了尹子奇的帅旗之下，敌营顿时大乱，张巡的部队乘机杀掉敌军将领五十余人，士兵五千余人。张巡想射杀尹子奇，却不认识他，就叫士兵削秸秆当箭射向敌军。中了箭的人都很高兴，以为张巡的箭用完了，急忙跑去报告尹子奇，于是张巡认出了尹子奇。张巡叫南霁云放箭，一箭射中尹子奇的左眼，差点儿把他捉获，尹子奇只得急忙收兵大败而逃。

【战例】

唐朝中期，发生了安史之乱。叛贼安禄山气焰嚣张，连连获胜，安禄山部将尹子奇率军十万进攻睢阳。御史中丞张巡驻守睢阳，见敌军气势强盛，决定据城固守。敌兵二十余次攻城，均被击退。尹子奇见士兵已经疲惫，只得鸣金收兵。晚上，敌兵刚刚准备休息，忽听城头战鼓隆隆，喊声震天，尹子奇急令部队准备与冲出城来的唐军激战。而张巡却只是擂鼓，紧闭城门，没有出战。尹子奇的部队被折腾了整夜，没有得到休息，将士们疲乏至极，眼睛都睁不开，倒在地上呼呼大睡。这时，城中一声炮响，突然之间，张巡率领守兵冲杀出来，敌兵从梦中惊醒，惊慌失措，乱作一团。张巡一鼓作气，接连斩杀五十余名敌将，敌军大乱。张巡急令部队擒拿敌军首领尹子奇，部队一直冲到敌军帅旗之下。张巡从未见过尹子奇，现在尹子奇又混在乱军之中，更加难以辨认。张巡心生一计，让士兵用秸秆削尖作箭，射向敌军。敌军中不少人中箭，他们以为这下完了，却发现自己中的是秸秆箭，心中大喜，以为张巡军中已没有箭了，于是争先恐后向尹子奇报告这个好消息。张巡见状，立刻辨认出了敌军首领尹子奇，急令神箭手南霁云向尹子奇放箭。南霁云一箭正中尹子奇左眼，尹子奇抱头鼠窜，仓皇逃命。敌军一片混乱，大败而逃，唐军取得胜利。

第四套
混战计

第十九计

釜底抽薪

【解题】

这一计出自北齐魏收《为侯景叛移梁朝文》：“抽薪止沸，剪草除根。”古人还说：“故以汤止沸，沸乃不止，诚知其本，则去火而已矣。”此计用于战争，是指对强敌不可正面作战，而应该避其锋芒，削弱敌人的气势再乘机取胜的计谋。釜底抽薪的关键是要抓住主要矛盾，很多时候，一些影响战争全局的关键点，恰恰是敌人的弱点。指挥员要准确判断，抓住时机，攻敌之弱点。比如粮草辎重，若能乘机夺得，敌军就会不战自乱。

【原文】

不敌其力，而消其势[①]，兑下乾上之象[②]。

【注释】

①消：消除，瓦解。势：势力，气势。

②兑下乾上：指《周易·履》卦。其中有“柔履刚也”的说法，就是以柔克刚。

【译文】

力量上不能战胜敌人，可以瓦解他的气势，这就是《周易》兑下乾上的《履》卦所说的“柔履刚”的办法。

【按语】

水沸者，力也，火之力也。阳中之阳也，锐不可当。薪者，火之魄也，即力之势也，阴中之阴也，近而无害。故力不可当而势犹可消。《尉缭子》曰："气实则斗，气夺则走。"而夺气之法，则在攻心。昔吴汉为大司马，有寇夜攻汉营，军中惊扰，汉坚卧不动。军中闻汉不动，有顷乃定。乃选精兵反击，大破之，此即不直当其力而扑消其势也。

宋薛长儒为汉、湖、滑三州通判，驻汉州。州兵数百叛，开营门，谋杀知州、兵马监押，烧营以为乱。有来告者，知州、监押皆不敢出。长儒挺身出营，谕之曰："汝辈皆有父母妻子，何故做此？叛者立于左，胁从者立于右！"于是，不与谋者数百人立于右，独主谋者十三人突门而出，散于诸村野，寻捕获。时谓非长儒，则一城涂炭矣！此即攻心夺气之用也。或曰：敌与敌对，捣强敌之虚以败其将成之功也。

【按语译文】

锅里的水沸腾，是靠火的力量。沸腾的水和猛烈的火势是势不可当的，而产生火的原料薪柴却是可以接近的。所以，强大的力量虽然阻挡不了，但它的气势是可以削弱的。《尉缭子》说："士气旺盛，就投入战斗；士气不旺，就应该避开敌人。"削弱敌人气势的最好方法是采取攻心战。所谓"攻心"，就是运用强大的政治攻势。吴汉在大敌当前时，沉着冷静，稳定了将士，乘夜反击，获得了胜利。这就是不直接阻挡敌人、用计谋扑灭敌人气势而取胜的例子。

宋朝薛长儒担任汉州、湖州、滑州三州通判时，驻在汉州。一次，守卫汉州的几百名士兵叛乱，他们打开营门，企图杀害知州和兵马监押。有人前来报告，知州和兵马监押都不敢出门。薛长儒挺身而出，以利害关系说动乱兵："你们都有妻子父母，为什么要做出叛乱的事呢？带头叛乱的人站在左边，被迫跟从的人站在右边！"于是，随大流参与叛乱的几百名兵士都站在右边，只有为首的十三人夺门而出，逃窜到野外的村庄里，不久都被捉拿归案。当时人们说，要不是薛长儒，那么一城人就要遭殃了。这就是善于利用攻心计谋削弱敌人士气的效果。有人说，当敌人互相攻击时，我方要突然袭击强敌的薄弱部分，击破敌人，取得完全的胜利，这也是“釜底抽薪”计谋的运用。

【战例】

东汉末年，军阀混战，各地诸侯相继崛起，其中河北袁绍势力较强。199年，袁绍率领十万大军攻打许昌。当时，曹操守官渡，兵力只有三万多人。两军隔河对峙，袁绍仗着人马众多，派兵攻打白马。曹操表面上放弃白马，命令主力开向延津渡口，摆开渡河架势。袁绍怕后方受敌，迅速率主力西进，阻挡曹操渡河。谁知曹操虚晃一枪后，突然派精锐兵力回来袭击白马，斩了颜良，首战告捷。由于两军相持了很长时间，双方粮草供给成了关键。袁绍从河北调集一万多车粮草，屯积在大本营以北四十里的乌巢。曹操探听到乌巢并没有重兵防守，决定偷袭乌巢，断其供应。他亲自率领五千精兵打着袁绍的旗号，夜袭乌巢，乌巢的袁军还没有弄清真相，曹军就已经包围了粮仓。一把大火点燃，顿时浓烟四起，守军一片混乱。曹军乘机消灭了守粮袁军，袁绍的一万多车粮草，一时化为灰烬。袁绍大军闻讯，惊恐万状，供应断绝，军心浮动，袁绍一时没了主张。曹操这时发动全线进攻，袁军士兵已丧失战斗力，十万大军四散逃离。袁军大败，袁绍带领八百亲兵，艰难地杀出重围回到河北，从此一蹶不振。

第二十计
浑水摸鱼

【解题】

浑水摸鱼，原意是在浑浊的水中，鱼晕头转向，这时乘机摸鱼，可以得到意外的好处。此计用于战争，是指当敌人混乱无主时，乘机夺取胜利的谋略。当战场局面混乱不定时，一定存在着多种互相冲突的力量，那些弱小的力量这时都在考虑，到底要依靠哪一边，一时难以确定，敌人又被蒙蔽难以察觉。这个时候，己方就要乘机把水搅浑，顺手得利。

【原文】

乘其阴乱，利其弱而无主[①]。《随》[②]，以向晦入宴息[③]。

【注释】

①主：主意，主见，安邦定国之策。

②《随》：卦名，顺从，顺应。

③向晦：傍晚，天将黑。宴息：休息。

【译文】

趁着敌人内部混乱，利用他弱小而没有主见，使他随从我，就像人随着天时吃饭、休息一样。

【按语】

动荡之际，数力冲撞，弱者依违无主，散蔽而不察，我随而取之。《六韬》曰："三军数惊，士卒不齐，相恐以敌强，相语以不利，耳目相属，妖言不止，众口相惑，不畏法令，不重其将，此弱征也。"是鱼，混战之际，择此而取之。如刘备之得荆州，取西川，皆此计也。

【按语译文】

局面动荡不定时，一般会有几种相冲突的力量。势力弱小的顺从谁或反对谁不确定，敌方分散蒙蔽而没有察觉，我方应当立即随手夺取他们的阵地。《六韬》上说："军队不断地陷入惊慌之中，士兵人心不一，过高地估计敌人而产生畏惧心理，说着泄气的话，大家互相咬耳朵、使眼色，传播谣言，听信假话，不重法令，不尊重将帅，这些都是怯弱的征象啊！"这样的猎物，在混战的时候，应该乘机捕捉它。比如，刘备得荆州、取西川，就是用的这条计策。

【战例】

三国时，曹操在赤壁战败后，实力有所减弱，于是孙权和刘备都想乘机攻打南郡。刘备到东吴对周瑜说，听说都督周瑜要攻打南郡，特来相助，但都督不可轻敌，守将曹仁非常勇猛。周瑜一向骄傲自大，听刘备这话很不高兴，脱口而说，我若攻不下南郡，就听任您去取。刘备要的就是周瑜这句话。周瑜发兵却中了曹仁诱敌之计，自己中箭而返。曹仁见周瑜中箭非常高兴，天天派兵来叫阵，周瑜出阵应战，战不多时，周瑜口吐鲜血坠于马下。其实这是周瑜用的一计。曹仁不知，想乘胜劫营，当天夜里，曹仁只留少数士兵守城，命大军趁黑冲进周瑜大营，但营中空无一人。曹仁知道中计急忙退兵，遇到周瑜的埋伏，只得往北逃窜。这时周瑜立即率兵直奔南郡城，却见南郡城头布满旌旗，原来是刘备趁周瑜和曹仁混战之时，命赵云轻易攻取了南郡。周瑜此时才知道上了刘备的当。

第二十一计
金蝉脱壳

【解题】

金蝉脱壳的本意是寒蝉在蜕变时，本体脱离皮壳而走，只留下蝉蜕还挂在枝头。此计用于战争，是指通过伪装摆脱敌人，以便撤退或转移。认真分析形势，准确做出判断，摆脱敌人，转移部队，绝不是消极逃跑，一走了之，而应该是一种分身术，要巧妙地暗中调集精锐部队去袭击别处的敌人，以取得战争的胜利。

【原文】

存其形[①]，完其势；友不疑，敌不动[②]。巽而止，《蛊》[③]。

【注释】

①存其形：保存阵地已有的战斗形貌。

②敌不动：意思是稳住敌人。

③巽而止，《蛊》：语出《周易·蛊》卦。本卦为巽下艮上。艮为山为刚，巽为风为柔，卦象意为高山沉静，风行山下，事会顺当。巽而止，即我方暗中转移主力，去平息战乱。

【译文】

为了有效地掩护我方正在进行的军事转移，必须保存我方原有的阵地形状、完备的战斗势态，使友军不怀疑，敌军不敢妄动。我方却秘密转移主力，打击别处的敌人。

【按语】

共友击敌，坐观其势。倘另有一敌，则须去而存势。则金蝉脱壳者，非徒走也，盖为分身之法也。故大军转动，而旌旗金鼓，俨然原阵，使敌不敢动，友不生疑。待己摧他敌而返，而友敌始知，或犹且不知。然则金蝉脱壳者，在对敌之际，而抽精锐以袭别阵也。如诸葛亮病卒于军，司马懿追焉。姜维令仪反击鸣鼓，若向懿者，懿退，于是仪结营而去。檀道济被围，乃命军士悉甲，身白服乘舆徐出外围。魏惧有伏，不敢逼，乃归。

【按语译文】

同盟军联合作战，要仔细察明敌、我、友三方的态势。如果另外发现有敌人，必须保持原有的阵势而分兵迎击。金蝉脱壳并不是一走了之，而是一种分身的方法。因此，我方大军转移之后，仍然要旗帜招展，锣鼓擂动，以便逼真地保持原有阵势，使敌人不敢轻举妄动，友军也不生疑心。等到摧毁别处的敌人再返回，友军和敌人才发觉，或者还没有发觉。“金蝉脱壳”就是对敌作战时，暗中抽走精锐部队去袭击别处敌人的奇谋。比如诸葛亮在前线病死之后，姜维统领大军回蜀，司马懿在后面追击，姜维命令杨仪掉转旗帜，擂动战鼓，好像要进攻司马懿的样子。司马懿害怕中计，只好退走，于是杨仪顺利地返回。又如檀道济被敌人围困时，就命令士兵都披上铠甲，自己穿着显眼的白衣服坐在车上，慢慢地向外围进发。魏兵怕中了埋伏，不敢进逼，于是，檀道济得以安全地撤回部队。

【战例】

田豫奉魏文帝之命前去镇抚代郡的鲜卑人。当时，北方的游牧民族强盛，侵扰边塞，鲜卑人有数十个部落，各有自己的领地，他们结成联盟，约定都不得把马卖给中原人。

于是田豫先挑拨离间他们，让他们自相仇视，互相攻杀。但是又担心他们互相兼并，造成更大危害，便率军深入远地，攻打鲜卑人兵力最强的一支，显示威信。进兵之后，因寡不敌众，田豫军不久便被截退路，情况万分危急。田豫在距敌十余里处安营扎寨，并且命令士兵多拾柴草及牛马粪便，聚集点燃。一时间浓烟四起，直上空中。鲜卑人见田豫军中烟火不绝，以为田豫久驻该地，不以为意。但是，等鲜卑人悄悄摸到田豫的营地，发现只有柴草和牛马粪便在燃烧，大队人马已不知去向。原来，田豫在点燃柴草和牛马粪便后便率军急走。等鲜卑人发现真实情况时，他的大军已走出几十里了。

第二十二计
关门捉贼

【解题】

关门捉贼，意思是指对势力弱小的敌军要采取四面包围、聚而歼之的谋略。关门捉贼，不仅仅是害怕敌人逃走，而且还怕他们逃走之后被他人利用。如果门关不紧，让敌人脱逃，千万不可轻易追赶，防止中了敌人的诱兵之计。对弱敌必须围而歼之，如果不能围歼，暂时放他们逃走也未尝不可，千万不可轻易追击。如果指挥员能统观全局，因势用计，因情变通，捉到的也可能不是小贼，而是敌军的主力部队。

【原文】

小敌困之[①]。《剥》，不利有攸往[②]。

【注释】

①困：围困。

②《剥》，不利有攸往：语出《周易·剥》卦。本卦上卦为艮山，下卦为坤为地，指广阔无边的大地在吞没山，故卦名为“剥”。

【译文】

对小股敌人要即时围困消灭。对付垂死挣扎的敌人，如果放纵让他们逃去而又穷追猛赶，那是很不利的。

【按语】

捉贼而必关门，非恐其逸也，恐其逸而为他人所得也。且逸者不可复追，恐其诱也。贼者，奇兵也，游兵也，所以劳我者也。《吴子》曰：“今使一死贼伏于旷野，千人追之，莫不枭视狼顾。何者？恐其暴起而害己也。是以一人投命，足惧千夫。”追贼者，贼有逃之机，势必死斗；若断其去路，则成擒矣。故小敌必困之，不能，则放之可也。

【按语译文】

捉贼之所以必须关门，不是怕贼逃走了，而是怕贼逃走了反而被敌人捉得而利用。并且，对逃走的贼不能再追，以防中敌人的诱兵之计。这里的贼，是指突然来袭、出没无常的敌人，他们是要我方疲劳，以便实现他们的企图。《吴子》说：“现在让一个亡命之徒，隐藏到广大的田野里，就是派出一千人去追捕他，也常常会令人害怕。这是为什么呢？人们是害怕遭到突然袭击而受伤，因为只要有一个人不怕死，他就可以使一千个人恐惧。”在追盗贼时，如果盗贼发现还有逃脱的机会，他必然拼死搏斗；如果截断了他的去路，盗贼就非被擒住不可。因此，对付弱小的敌人，必定要包围、歼灭，如果办不到，暂时任他逃走也可以，不要一味穷追不舍。

【战例】

明嘉靖年间，倭寇组织两万多人，屯集松江柘林（今属上海），在中国沿海一带进行骚扰抢掠。倭寇选柘林屯兵驻防是经过深思熟虑的。柘林临水，地势险要，舟楫战船进出方便，进兵陆路四通八达。

明世宗下令，派右都御史张经赴沿海剿除倭寇，保一方平安。苏松副总兵俞大猷向张经建议说：“倭寇人数众多，并且占据着有利地形，我们不能贸然攻打。若是强攻，倭寇肯定会乘船入海逃走。况且我军刚刚集结，士兵的战斗力不足，恐力不从心。因此，我们应采取‘关门捉贼’的办法。先派兵守住倭寇的必经之路，再令一支队伍插入敌后，断绝水路。倭寇进入圈套后，我们前后夹击，这样才有可能取得胜利。”俞大猷的建议得到了张经的赞赏。张经遂命令俞大猷、邹继芳、汤克宽分兵三路，把守金山卫、闵港、乍浦，暂时按兵不动，又令永顺军、保靖军两军联合围剿。

永顺军和保靖军按时到达后，一声炮响，各路军马争相杀敌。倭寇们一下子慌乱起来，急欲撤退。这时，俞大猷一马当先，率队伍突然杀出。明军围倭寇于王江泾，斩杀两千倭寇，剩下的倭寇四散逃命。

第二十三计
远交近攻

【解题】

这一计出自《战国策·秦策》："范睢曰：'王不如远交而近攻，得寸，则王之寸；得尺，亦王之尺也。'"远交近攻的谋略，实际上是将大棒和橄榄枝相互配合运用。对邻国则挥舞大棒，把它消灭。如果和邻国结交，恐怕变乱会在近处发生。其实，从长远看，所谓远交，也绝不可能是长期和好。消灭近邻之后，远交之国也就成了近邻，新一轮的征伐也是不可避免的。

【原文】

形禁势格[1]，利从近取，害以远隔。上火下泽[2]。

【注释】

①格：限制，阻碍。

②上火下泽：出自《周易·睽》卦。本卦上卦为离为火，下卦为兑为泽，上火下泽，水火相克，相互违背。

【译文】

受到地形、地势的限制和阻隔，先攻取离我们近的敌人是有利可得的，而隔着近处的敌人去攻打远处的敌人是有害的。采取不同的做法，使敌人相互猜疑、背离。

【按语】

混战之局，纵横捭阖之中，各自取利。远不可攻，而可以利相结；近者交之，反使变生肘腑。范雎之谋，为地理之定则，其理甚明。

【按语译文】

在混乱的局势中，各方都会采用联合分化的手段来制伏敌人。远处的敌人不要去进攻，而可以用些利益和他们结交；邻近的敌人不要结交，否则会很快产生变乱。战国时范雎所提出的远交近攻的计策可以作为定则，这道理是很明白的。

【战例】

春秋初期，群雄并起，逐鹿中原。当时的郑国与近邻宋国、卫国积怨很深，郑国时刻都有被两国夹击的危险。郑国在外交上采取主动，接连与邾、鲁等国结盟，不久又与实力强大的齐国在石门签订盟约。公元前719年，宋、卫联合陈、蔡两国共同攻打郑国，鲁国也派兵助战，将郑国东门围困了五天五夜。郑国认识到本国与鲁国的关系还存在问题，便与鲁国重新修好。公元前717年，郑国以帮郏国雪耻为名，攻打宋国。同时，向鲁国积极发动外交攻势，主动派使臣到鲁国，鲁国与郑国重修旧谊。齐国当时出面调停郑国和宋国的关系，郑庄公表示尊重齐国的意见，暂时与宋国修好。齐国因此也对郑国加深了感情。公元前714年，郑庄公以宋国不朝拜周天子为由，代周天子发令攻打宋国。郑、齐、鲁三国大军很快地攻占了宋国大片土地。宋、卫军队避开联军锋芒，乘虚攻入郑国。郑庄公把占领宋国的土地全部送与齐、鲁两国，迅速回兵，大败宋、卫大军，郑国乘胜追击，击败宋国，卫国被迫求和。郑庄公的势力进一步扩大，成就了霸主地位。

第二十四计
假道伐虢

【解题】

这一计出自《左传·僖公二年》："晋荀息请以屈产之乘，与垂棘之璧，假道于虞以灭虢。"此计的关键在于"假道"。善于寻找"假道"的借口，善于隐蔽"假道"的真正意图，突出奇兵，这样往往就可以取胜。

【原文】

两大之间[1]，敌胁以从，我假以势[2]。《困》，有言不信[3]。

【注释】

①两大之间：指处在两个大国之中。

②假：借。

③《困》，有言不信：出自《周易·困》卦。本卦上卦为兑（泽），下卦为坎为水，卦象表明，本该处于下方的泽，现在悬于上方而向下渗透，以致泽无水受困。意思是处于困迫的境况时，是不肯听信别人的空话的。

【译文】

处在敌我两个大国之间的小国，倘若受到敌方的武力威胁，我方必须立即出兵援助，显示我方实力。小国有难，我方救援，能不取得小国的信任吗？

【按语】

假地用兵之举，非巧言可诳，必其势不受一方之胁从，则将受双方之夹击。如此境况之际，敌必迫之以威，我则诳之以不害，利其幸存之心，速得全势。彼将不能自阵，故不战而灭之矣。如晋侯假道于虞以伐虢。晋灭虢，虢公丑奔京师。师还，袭虞灭之。

【按语译文】

借道用兵的行动，不是靠花言巧语所能欺蒙取得的。情况必然是这样的：如果不受到一方的威胁，就会遭到双方的夹攻。在这种情况下，敌人必然会用武力来逼迫，我方却以不侵犯它的利益进行诱惑，利用它侥幸图存的心理，立刻把力量扩展进去，控制整个局势。这样，它势必不能够保住阵地，所以不必经过战斗，就可以消灭它。例如晋献公借道虞国攻打虢国。晋国灭了虢国后，虢公丑逃到周朝京师洛阳。晋军灭虢后，在回师途中，袭击了虞国并兼并了它。

【战例】

春秋时期，各地的诸侯势力有强有弱，其中晋国的势力较强。晋国想进一步扩张自己的地盘，于是瞄准了虞国和虢国。这两个国家都是小国，地理位置邻近，两国关系也很好。晋国如攻打虞国，虢国肯定会出兵救援；晋国若攻打虢国，虞国肯定也会出兵相助。大臣荀息向晋献公献上一计说，要想攻占这两个国家，必须离间他们。虞国的国君贪得无厌，可以投其所好。他建议晋献公拿出心爱的两件宝物，屈产良马和垂棘之璧，送给虞公。献公非常舍不得。荀息说："大王放心，只不过是让他暂时保管罢了，等灭了虢，再灭虞国，一切不都又回到您手中了吗？"晋献公依计而行。虞公得到良马、美璧，高兴得嘴都合不拢。晋国故意在晋、虢边境制造事端，找到了伐虢的借口。晋国要求虞国借道让晋国伐虢，虞公得到了晋国的好处，只得答应。虞国大臣宫之奇再三劝说虞公，说虞虢两国，唇齿相依，虢国一亡，唇亡齿寒，晋国是不会放过虞国的。虞公却不听。晋大军通过虞国道路，攻打虢国，很快就取得了胜利，班师回国时，把劫夺的财产分了许多给虞公，虞公更是大喜过望。晋将里克这时装病声称不能带兵回国，暂时把部队驻扎在虞国京城附近，虞公毫不怀疑。几天后，晋献公亲率大军前去，虞公出城相迎。献公约虞公前去打猎，不一会儿，只见京城中火起，虞公赶到城外时，京城已被晋军里应外合强占了。就这样，晋国轻而易举地灭了虞国。

第五套 并战计

第二十五计
偷梁换柱

【解题】

偷梁换柱，指用偷换的办法，暗中改换事物的本质和内容，以达到蒙骗欺骗的目的。此计用在战争上，指对敌作战时，反复变动行军路线，借以调换敌方的兵力，等敌方军队有机可乘之时，一举将其全部控制，取得胜利。

【原文】

频更其阵，抽其劲旅，待其自败，而后乘之。曳其轮也①。

【注释】

①曳其轮也：出自《周易·既济》卦。本卦为异卦相叠（离下坎上）。上卦为坎为水，下卦为离为火。水处火上，水势压倒火势，救火之事，大功告成，故卦名“既济”。

【译文】

采取措施，使敌军反复变动行军路线，把他们的兵力调开，等待他们自己败阵，然后乘机进攻。《周易·既济》卦说：“先拖住敌人，然后再替换他。”

【按语】

阵有纵横，天衡为梁，地轴为柱。梁柱以精兵为之。故观其阵，则知其精兵之所在。共战他敌时，频更其阵，暗中抽换其精兵，或竟代其为梁柱，势成阵塌，遂兼其兵。并此敌以击他敌之首策也。

【按语译文】

阵势有东西、南北方位，“天衡”首尾相对，当作阵的大梁，“地轴”贯在中央，当作阵的支柱，梁、柱方位都由主力部队担当。因此，观察敌阵，就能发现敌军主力的位置。如与友军联合作战，应设法多次变动友军的阵容，暗中更换其主力，派自己的部队去代替“梁柱”，这样就会使其阵地无法由自己控制，这时我方可以立即吞并友军的部队。这是吞并这一股敌人再去攻击另一股敌人的首要战略。

【战例】

刘邦称帝后，害怕手下诸侯王兵权过大，对他的皇位形成威胁。在诸侯王中，韩信的势力最为强大。于是刘邦把韩信调进京城并软禁起来。韩信想到自己对刘邦忠心耿耿，辅佐刘邦打天下，而今落得如此下场，非常苦闷。公元前200年，刘邦封陈稀为相，去攻打匈奴。韩信私下会见陈稀，把自己的遭遇告诉他，让他起兵反汉，自立为王。陈稀自立为王后，刘邦带兵平叛。韩信与陈稀约定起事后，他将在京城诈称奉刘邦密诏，袭击吕后及太子，两边夹击刘邦。可是韩信的计谋被吕后识破。吕后和丞相萧何设下一计，派人在京城散布陈稀已死，皇上即将凯旋的消息。韩信听到这个消息，不知真假，大为恐慌。一日，丞相萧何到韩信家中，谎称皇上已回朝，要召见韩信，韩信只得与萧何一同进宫，结果被吕后杀掉。

第二十六计
指桑骂槐

【解题】

指桑骂槐，用于军事上，是指要运用外交谋略，“指桑”而“骂槐”，施加压力配合军事行动，以取得胜利。春秋时期，齐相管仲先攻下遂国，鲁国对齐国畏惧，立即向齐国求和，于是齐国鲁国联盟。宋国见齐鲁联盟，也只得认输求和。齐相管仲征服鲁国和宋国，就是运用此计。

【原文】

大凌小者[①]，警以诱之。刚中而应，行险而顺[②]。

【注释】

①凌：欺凌，欺侮。

②刚中而应，行险而顺：出自《周易·师》卦。本卦《彖》辞说：“刚中而应，行险而顺，以此毒天下，而民从之。”意思是此卦“九二”爻居于下坎的中位，叫“刚中”，又上应上坤的五个阴爻，为互应。下卦为坎，表示危险；上卦为坤，表示顺从，所以“行险而顺”。

【译文】

强大的势力想要控制弱小的势力，应该以警告的方式去诱导他。刚强而不偏激可能得到人们的信服。冒险行事，果断而又勇敢，也能使人们顺从。

【按语】

率数未服者以对敌，若策之不行，而利诱之，又反启其疑。于是故为自误，责他人之失，以暗警之。警之者，反诱之也，此盖以刚险驱之也。或曰：此遣将之法也。

【按语译文】

率领不服从自己的部队，去同敌人作战，如果你调动兵士，兵士并不服从，而用金钱去利诱又会引起怀疑。这时，可以故意制造事端，责备别人发生过错，借以暗示警告。所谓警告，就是从另一面来诱导他们，这是施用强硬而果断的手段迫使兵士服从的方法。有人说，这也是调兵遣将的方法。

【战例】

齐景公时，晏婴向齐景公推荐了田穰苴。景公于是召见田穰苴，同他讨论军事，对穰苴的军事能力大加赞赏，便任命他为将军，率兵抵御燕晋两国的军队。齐景公又派自己的亲信庄贾到穰苴的军队做监军。穰苴与庄贾约定第二天正午在军门外相会。第二天，穰苴先到达军营，树立日表，等待庄贾。庄贾一向傲慢自大，喜欢摆架子，认为是率领自己的军队而且由自己来当监军，于是不大着急。亲戚僚属还为他宴饮送别。直到正午庄贾仍未来，穰苴便放倒日表，截断滴漏，先行整顿军队，反复说明各项军规军纪。到了傍晚，庄贾才到达军营。穰苴问："为什么迟到？"庄贾道歉说："因为送别的大夫们和亲戚们太多，我应酬他们，所以耽搁迟到了。"穰苴说："将领从接受任命之日起就不顾家庭，从亲临军营申明号令起就不顾亲戚，从拿起鼓槌指挥作战起就不顾个人安危。现在敌国深入我地，举国骚动，士兵暴露于境内，国君睡不好觉、吃不好饭，百姓之命皆系于您一身，还谈什么相送呢！"穰苴召来军正问道："按照军法，按期不到者应如何处置？"军正说："应当斩首。"庄贾害怕了，急派人向齐景公报告，求齐景公救命。但派出的使者还没有回来，庄贾已被斩首示众于三军。三军士兵皆震惊战栗。过了好一会儿，景公派使者持节来赦免庄贾，车子闯入营垒之中。穰苴说：“将在军中，国君的命令可以不必完全照办。”问军正说：“闯入营垒依法当如何处置？”军正说：“应当斩首。”使者大惊失色。穰苴说：“国君的使者不可以杀。”便斩了驾车的驭手，砍断车子的左辅，杀死左边的马，示众于三军。穰苴对士兵非常关心，把将军的粮食全部拿来与士兵共享，本人与士兵平分粮食，尤其照顾那些身体瘦弱者。三天之后，穰苴集合部队准备出发征战，病弱的人都要求前往，奋勇争先要去作战。晋国和燕国的军队听说了这些，便都撤兵了。

第二十七计
假痴不癫

【解题】

假痴不癫，意思是说表面上装糊涂，实际内心很清楚，假装不行动实际上是在暗中策划等待有利时机。在军事上，此计不但是麻痹敌人、伺机破敌的一种策略，还可作为“愚兵”之计来治军。如宋代狄青在征伐壮族首领侬智高时，以两面钱来装神弄鬼，让士兵误以为有神相助，于是士气大振，最终取得战争的胜利。

【原文】

宁伪作不知不为，不伪作假知妄为。静不露机，云雷屯也[①]。

【注释】

①静不露机，云雷屯也：出自《周易·屯》卦。本卦为异卦相叠（震下坎上），震为雷，坎为雨，此卦象为雷雨并作，环境险恶，为事困难。“屯，难也。”《屯》卦的《象》辞又说“云雷，屯”。坎为雨，又为云，震为雷。这是说，云行于上，雷动于下，云在上有压抑雷之征象，这是屯卦之卦象。这就如同云势压住雷动，且不露机巧一样，最后一旦爆发攻击，便出其不意而获胜。

【译文】

宁愿假装什么都不知道不采取行动，也不要假装什么都知道而轻举妄动。就像是云压住了雷一样，静待时机，不露机巧。

【按语】

假作不知而实知，假作不为而实不可为，或将有所为。司马懿之假病昏以诛曹爽，受巾帼，假请命，以老蜀兵，所以成功。姜维九伐中原，明知不可为而妄为之，则似痴矣，所以破灭。兵书曰："故善战者之胜也，无智名，无勇功。"当其机未发时，静屯似痴；若假癫，则不但露机，则乱动而群疑。故假痴者胜，假癫者败。或曰："假痴可以对敌，并可以用兵。"宋代，南俗尚鬼。狄青征侬智高时，大兵始出桂林之南，因佯祝曰："胜负无以为据。"乃取百钱自持，与神约："果大捷，则投此钱尽钱面也。"左右谏止："倘不如意，恐沮师。"青不听。万众方耸视，已而挥手一掷，百钱皆面。于是举兵欢呼，声震林野，青亦大喜；顾左右，取百钉来，即随钱疏密，布地而贴钉之，加以青纱笼护，手自封焉。曰："俟凯旋，当酬神取钱。"其后平邕州还师，如言取钱，幕府士大夫共祝视，乃两面钱也。

【按语译文】

自己非常清楚，却伪装不知道；现在假装不行动，是因为现在还不可能行动，必须等待时机。三国时，司马懿假装衰老病重，使曹爽失去警惕，后杀死曹爽；接受诸葛亮送来的妇女头饰衣服，故意向上请示，坚壁不战，因而使蜀军疲劳，获得成功。姜维九次率兵讨伐中原，明知道这样做不行，却偏要轻举妄动，就像个傻瓜，因此他遭到失败。兵书上说："善于作战而取得胜利的人，并不企图取得机智的声誉，也不夸自己勇敢与功劳。"当战机还没有到时，镇定待命如同发呆，如果假装癫狂，就有可能暴露战机，而且会因为错误行动引起大家的猜疑。所以，装呆的，必定胜利；假装癫狂的，必定失败。有人说："装呆，既可以用来对敌作战，也可以用来指挥部队。"宋代，南方有崇尚鬼神的习俗。狄青征伐侬智高时，大军刚到桂林南边，他就假装拜神说："这次用兵，胜败还没有把握。"于是拿了一百个铜钱，向神许愿："如果能够战胜敌人，把钱丢到地上，钱的正面都向上。"左右的官员都劝阻他："如果弄不好，恐怕会影响部队的士气。”狄青不听。在千万双眼睛的注视下，他突然挥手一掷，把铜钱全都扔在地上，结果一百个铜钱都是正面朝上。这时，全军欢呼，声音响彻山村和原野，狄青也非常兴奋，命令左右侍从，拿来一百枚钉子，依照铜钱散布的疏密，用钉子牢牢地钉在地上，然后亲手盖上青纱封好，说：“等到凯旋后，一定酬谢神灵，收回铜钱。”后来，狄青平定邕州，带领军队归来，按原先说的那样把钱取回，他的僚属们一看，那些铜钱，两面都是一样的。

【战例】

宋代时，有一次君臣宴饮，殿前都虞候孔守正和王荣等人陪宋太宗饮酒谈话。孔守正在不知不觉中喝酒喝多了，满嘴胡话，一个劲儿地说自己驻守边疆的功劳有多么大。此时，也有醉意的王荣听后心里不服气，指着孔守正说：“论起功劳，我比你大得多，你根本就不值得一提。”二人随后大声争吵起来，吵得面红耳赤，全然忘了宋太宗就在旁边。侍臣看到这种情形，要求立即将二人抓起来治罪。宋太宗不同意，派人把他们分别送回家。次日二人酒醒后，知道在皇帝面前失仪，闯下了大祸，急忙觐见皇帝请罪。宋太宗说道：“昨天朕也喝醉了，不记得什么了。”二人再次叩拜谢恩而出，暗暗告诫自己以后千万不要再犯。

第二十八计
上屋抽梯

【解题】

上屋抽梯用于军事上，是指用小的利益引诱敌人上当，然后截断敌人援兵，将敌方围住全部歼灭。因为敌人不是那么容易上当的，所以应该先给敌人安放好“梯子”，也就是故意给些小利益，让敌方上当。等敌人“上屋”，也就是进入已布好的“口袋”中后即可拆掉“梯子”，而后围歼敌人。

【原文】

假之以便，唆之使前，断其援应[①]，陷之死地。遇毒，位不当也[②]。

【注释】

①断其援应：切断敌方的后援和接应。

②遇毒，位不当也：语出《周易·噬嗑》卦。噬嗑，卦名。本卦为异卦相叠（震下离上）。上卦为离为火，下卦为震为雷，是既打雷，又闪电，威严得很。又离为阴卦，震为阳卦，是阴阳相济，刚柔相交，以喻人要恩威并用，严明结合，故卦名为“噬嗑”，意为咀嚼。

【译文】

故意露出破绽，诱敌深入，断其后援，陷敌于绝地。敌人贪功冒进，举措失当，身陷绝境，自取灭亡。

【按语】

唆者，利使之也。利使之而不先为之便，或犹且不行。故抽梯之局，须先置梯，或示之以梯。如慕容垂、姚苌诸人怂秦苻坚侵晋，以乘机自起。

【按语译文】

唆，就是用利去引诱敌人。如果只有小利引诱，而不给充分的方便条件，那么敌人或许会犹豫不前。因此，凡是用“上屋抽梯”的计谋，必须先安置好梯子，并且要显示出来，让敌人知道。比如慕容垂、姚苌多人怂恿苻坚进攻晋军，在他失败后乘机而起。

【战例】

隋朝末年，隋炀帝荒淫残暴，穷兵黩武，百姓生活在水深火热之中，各地纷纷起兵造反。在战乱纷起的时候，李世民预感到隋朝的统治已经岌岌可危了，便策动自己的父亲、当时的唐国公李渊起兵反隋，号令天下。然而，李渊不但不同意，甚至要把李世民抓起来交给官府治罪。李世民经过苦思冥想，决定利用隋炀帝对李渊心存疑忌的机会，采取上屋抽梯的办法，逼迫李渊造反。

李世民有个心腹叫裴寂，专门负责管理隋炀帝的离宫。有一次，裴寂故意派离宫中的嫔妃去侍奉李渊。按隋朝的法律，这是大逆不道之罪。这件事使李渊在思想上产生了很大的压力。又有一次，裴寂在宴席上，佯装喝醉，把李渊父子准备谋反之事说了出来，这使李渊十分害怕。于是李世民乘机劝李渊："事已如此，如不起兵，皇上饶不了我们，起兵不仅可以自保，而且有可能夺取天下。"李渊感到没有退路，终于同意率众反叛。

在这里，李世民通过种种安排，促使李渊"上屋"。李渊知道，无论是"淫乱后宫"，还是"蓄意谋反"，都会招来灭族之罪。下楼的"梯子"被抽掉了，李渊处于有进无退的境地，最后不得不起兵造反。

第二十九计
树上开花

【解题】

树上开花，意思是指树上本来没有开花，但可以将假花粘在树上，做得和真花一样，让人真假难辨。用假花冒充真花，取得乱真的效果。因为战场上情况复杂，瞬息万变，指挥官很容易被假象所惑。所以，善于布置假情况，巧布迷魂阵，虚张声势，可以慑服甚至击败敌人。

【原文】

借局布势[①]，力小势大。鸿渐于陆，其羽可用为仪也[②]。

【注释】

①借局：借助某种局面。

②鸿渐于陆，其羽可用为仪也：出自《周易·渐》卦。渐，卦名，本卦为异卦相叠（艮下巽上）。上卦为巽为木，下卦为艮为山。卦象为木植长于山上，不断生长，比喻人要培养自己的德性，进而影响他人。

【译文】

借某种的局面布成阵势，兵力弱小的看起来阵容也显得强大。《周易·渐》卦说：鸿雁飞到高山上，它的羽毛可以作用文舞的道具。

【按语】

此树本无花，而树则可以有花。剪彩贴之，不细察者不易觉。使花与树交相辉映，而成玲珑全局也。此盖布精兵于友军之阵，完其势以威敌也。

【按语译文】

这棵树本来没有花朵，但可以使它有花。把彩色的绸缎剪成花朵粘在枝上，不仔细察看的人就不容易发觉。让美丽的花朵和树枝互相衬托放出光彩，造成巧妙逼真的完整局面。这其实是指把精锐部队布置到友军的阵地上，造成强大的声势来慑服敌人。

【战例】

三国时期，刘备起兵之初，与曹操交战，多次失利。一次，曹操率兵南下，刘备无力抵抗，只得狼狈败退，令张飞断后，阻拦追兵。张飞只有二三十名骑兵，怎敌得过曹操大队人马？张飞临阵不慌，心生一计，他命令士兵都到树林里去，砍下树枝绑在马后，然后让马在林中飞跑打转。张飞一人骑着黑马，横着丈八蛇矛，威风凛凛站在长坂坡的桥上。曹操追兵赶到，看见张飞独自骑马横矛站在桥上，好生奇怪，又看见桥东树林里尘土飞扬。追击的曹兵马上停止前进，以为树林中定有伏兵。张飞只带着二三十名骑兵，就阻止了追击的曹兵，让刘备和荆州军民顺利撤退，靠的就是这“树上开花”一计。

第三十计
反客为主

【解题】

反客为主，是指在战争中要努力变被动为主动，抓住有利时机，掌握有利的局势，兼并或者控制友军。古人使用本计，往往是借援助友军的机会，自己先站稳脚跟，然后步步为营，想方设法取而代之。在战场上，主客之势常常发生变化，有的变客为主，有的变主为客。关键在于要变被动为主动，争取掌握主动权。

【原文】

乘隙插足[1]，扼其主机，渐之进也[2]。

【注释】

①乘隙插足：看准时机插足进去。

②渐之进也：出自《周易·渐》卦，循序渐进的意思。

【译文】

敌方细小的疏漏我们也要乘机插足进去，进而控制它的最关键的地方，渐渐地向前走，循序渐进。

【按语】

为人驱使者为奴，为人尊处者为客，不能立足者为暂客，能立足者为久客。客久而不能主事者为贱客，能主事则可渐握机要，而为主矣。故反客为主之局：第一步须争客位，第二步须乘隙，第三步须插足，第四步须握机，第五步乃成为主。为主，则并人之军矣，此渐进之阴谋也。如李渊书尊李密，密卒以败；汉高视势未敌项羽之先，卑事项羽，使其见信，而渐以侵其势，至垓下一役，一举亡之。

【按语译文】

被人驱使的人是奴隶，受人尊敬的人是贵客，不能站住脚的是暂时的客人，能够站住脚的是长久的客人。做长久的客人而不能干预事务的是卑贱的客人，能主管事务并且逐渐抓住机要大权的，就变成了主人。因此，反客为主的局势是这样的：第一步先争取客人的地位，第二步要乘机钻空子，第三步要插脚进去，第四步要把握机会，第五步是取代主人。成为主人也就兼并了别人的军队，这是循序渐进完成反客为主的谋略。

比如李渊在势力还比较弱小的时候，就装出很尊敬李密的样子，最后把李密消灭了；刘邦兵力还不能和项羽对抗时，便装出谦卑的样子侍奉他，使项羽相信了他，他却慢慢地削弱了项羽的势力，到垓下决战时，一举就消灭了项羽。

【战例】

唐朝安史之乱后，有个叛将叫仆固怀恩。他煽动吐蕃和回纥两部联合出兵，进犯中原。吐蕃和回纥两部大军三十万，一路连战连捷，直逼泾阳。泾阳的守将是唐朝著名将领郭子仪，这时他只有一万余名精兵。面对漫山遍野的敌人，郭子仪知道形势十分严峻。恰在此时，仆固怀恩病死。吐蕃和回纥失去了中间的联系人，双方都想争夺战争的指挥权，彼此矛盾逐渐激化。当时吐蕃驻扎于东门外，回纥驻扎于西门外。郭子仪就想乘机分化他们。郭子仪想到在安史之乱时，自己曾和回纥将领并肩作战，这种老关系是可以利用的。他秘密派人前往回纥营中传递信息，说郭子仪想与过去并肩作战的老友叙叙情谊。回纥都督药葛罗是个重视旧情的人。听说郭子仪就在泾阳，十分高兴。但是，他说：“除非郭老令公亲自让我们见到，我们才会相信。”郭子仪听到汇报，决定亲赴回纥营中，会见药葛罗，并乘机说服他们不要和吐蕃联合反唐。将士们担心回纥有诈，不让郭子仪去。郭子仪说：“为国家，我早已把生死置之度外！我去回纥营中，如果能谈得成，这一仗就打不起来了，天下从此太平，有什么不好？”他拒绝带卫队保卫，只带少数随从，到回纥营去。药葛罗见真是郭子仪来了，非常高兴，设宴招待郭子仪，谈得十分投机。郭子仪说道：“大唐、回纥关系一直很好，回纥在平定安史之乱时立了大功，大唐也没有亏待你们呀！今天怎么会和吐蕃联合进犯大唐呢？吐蕃是想利用你们与大唐作战，他们好乘机得利。”药葛罗愤然说道：“您说得有道理，我们是被他们骗了！我们愿意和大唐一起，攻打吐蕃。”双方马上立誓联盟。吐蕃得到报告，觉得形势骤变，于己不利，于是赶忙撤兵。郭子仪与回纥合兵追击，击败了吐蕃的大军。

第六套
败战计

第三十一计
美人计

【解题】

这一计出自《六韬·文伐》："养其乱臣以迷之，进美女淫声以惑之。"意思是说，对于用军事行动难以征服的敌方，要从思想意志上打败敌方的将帅，诱惑敌方首领，使敌方从内部丧失战斗力，然后再去攻取，这样就能取得胜利。

【原文】

兵强者，攻其将；将智者，伐其情[1]。将弱兵颓，其势自萎。利用御寇，顺相保也[2]。

【注释】

①将智者，伐其情：对明智的将领，就打击他的情绪。

②利用御寇，顺相保也：出自《周易·渐》卦，意思是利用这种方法抵御敌人，可以顺利保卫自己。

【译文】

兵力强大的，就要攻打其将帅；将帅明智的，就打击将帅的情绪。将帅斗志衰弱、部队士气消沉，敌军的气势必定萎缩。利用这种方法抵御敌人，可以顺利保护自己。

【按语】

兵强将智，不可以敌，势必事之。事之以土地，以增其势，如六国之事秦，策之最下者也。事之以币帛，以增其富，如宋之事辽金，策之下者也。惟事之以美人，以佚其志，以弱其体，以增其下之怨。如勾践以西施、重宝取悦夫差，乃可转败为胜。

【按语译文】

兵力强大、将帅明智的，不可以跟他们作战，而要暂时屈服侍奉他们。割让土地向敌方屈服，以增强敌方的势力，就像六国侍奉秦国，这是最下等的计策。用金钱布帛向敌方屈服，像北宋、南宋侍奉辽、金，那也是下等的计策。只有用美女侍奉敌方，用以消磨敌方的志向，让敌方首领的身体衰弱，让敌方的部下增加对其首领的怨恨。如勾践用美女西施和珍宝侍奉吴王夫差，这样才转败为胜了。

【战例】

东汉末年，董卓专权，滥施杀戮。董卓身旁有一义子吕布，骁勇异常，忠心保护董卓。司徒王允向貂蝉提出用美人计诛杀董卓的计划。在一次私人宴会上，王允主动提出将貂蝉许配给吕布。吕布见这一绝色美人，喜不自胜，十分感激王允。第二天，王允又请董卓到家里来，酒席筵间，要貂蝉献舞。董卓一见，馋涎欲滴。王允见状便将貂蝉献给董卓。吕布知道之后大怒，当面斥责王允。王允编谎话说，太师要带貂蝉回去与你成亲。吕布信以为真，等待董卓给他办喜事。过了几天没有动静，再一打听，原来董卓已把貂蝉据为己有。吕布听后非常生气。一日董卓上朝，忽然不见身后的吕布，心生疑虑，马上赶回府中。在后花园凤仪亭内，见吕布与貂蝉抱在一起，他顿时大怒，用戟朝吕布刺去。吕布闪身躲开，没能击中。吕布怒气冲冲离开太师府。原来是吕布与貂蝉私自约会时，貂蝉按王允之计，挑拨他们的父子关系，大骂董卓夺了吕布所爱。

王允见时机成熟，邀吕布到密室商议。王

允大骂董贼强占了女儿，夺去了将军的妻子，实在可恨。吕布咬牙切齿，说："不是看我们是父子关系，我真想宰了他。"王允忙说："将军错了，你姓吕，他姓董，算什么父子？再说，他抢占你的妻子，用戟刺杀你，哪里还有什么父子之情？"吕布说："感谢司徒的提醒，不杀老贼誓不为人！"王允见吕布已下决心，便立即假传圣旨，召董卓上朝受禅。董卓耀武扬威，进宫受禅。不料吕布突然一戟，直穿董卓咽喉，将其杀死。

第三十二计
空城计

【解题】

空城计，是一种心理战术，是在敌众我寡的情况下，缺乏兵备而故意示敌方以不设兵备，造成敌方错觉，从而惊退敌军之事。后泛指掩饰自己力量空虚、迷惑对方的策略。在战争上运用此计可产生奇妙的功效。

【原文】

虚者虚之，疑中生疑[1]。刚柔之际[2]，奇而复奇。

【注释】

①虚者虚之，疑中生疑：空虚的就让它空虚，使敌军在疑惑中更加疑惑。

②刚柔之际：语出《周易·解》卦。《象》辞："刚柔之际，义无咎也。"意思是刚和柔互相交会，没有灾祸。

【译文】

空虚的让它空虚，使敌军在疑惑中更疑惑。刚和柔相互结合在一起，可以产生出神奇而又奇妙的效果。

【按语】

虚虚实实，兵无常势。虚而示虚，诸葛而

后，不乏其人。如吐蕃陷瓜州，王君焕死，河西汹惧。以张守珪为瓜州刺史，领余众，方复筑州城。版榦裁立，敌又暴至，略无守御之具，城中相顾失色，莫有斗志。守珪曰："彼众我寡，又疮痍之后，不可以矢石相持，须以权道制之。"乃于城上置酒作乐，以会将士。敌疑城中有备，不敢攻而退。又如齐祖珽为北徐州刺史，至州，会有陈寇，百姓多反，珽不关城门。守陴者，皆令下城，静坐街巷，禁断行人，鸡犬不乱鸣吠。贼无所见闻，不测所以，或疑人走城空，不设警备。珽复令大叫，鼓噪聒天，贼大惊，顿时走散。

【按语译文】

用兵虚虚实实，没有什么固定的形势。空虚的就显示空虚，在诸葛亮之后用这条计策的人不少。例如唐朝时吐蕃攻陷瓜州，守将王君焕战死，河西一带的人非常惊恐。当时张守珪被派去当瓜州刺史。他到任后领着人修筑城墙，筑城的夹板刚立起来，吐蕃人又突然袭击。城里没有防守器械，大家相顾失色，没有了斗志。张守珪说："敌众我寡，我们又刚刚经历了战争的创伤，不能用利箭、礌石进行抵抗，必须用计谋去战胜敌人。"于是，他在城楼上摆酒奏乐，和将士们饮酒作乐。吐蕃人见了都疑心城里有埋伏，不敢进攻，于是撤兵回去了。又如北齐的祖珽任北徐州刺史时，刚一到任就遇到南陈军队入侵，百姓也有很多乘机反叛。祖珽命令不要关城门，守在城墙上的士兵也撤下来静静地坐在街巷里，街道上禁止通行，城里鸡犬之声都听不到。陈朝军队听不到一点声音，也弄不清情况，便怀疑是一座空城。这时祖珽突然命令士兵大声吼叫，声音惊天动地，陈军一听大吃一惊，纷纷逃散。

【战例】

三国时期，蜀国魏国经常交战。一次，蜀国丞相诸葛亮率军驻扎在阳平城，派魏延等率主力东进，只剩下万余人守城。魏国大将司马懿率军二十万人前来攻打诸葛亮，与东进的魏延行军路线岔道而行恰好双方不遇，因此魏军得以长驱直入，径直挺进到距诸葛亮六十里的地方停下。魏军侦察人员回来向司马懿报告说：诸葛亮所在的阳平城中兵力不多，力量虚弱，都是些老弱士兵。这个时候诸葛亮也得知司马懿就要来到，担心魏军步步逼近交战，想去追赶魏延，可魏延走得太远，已赶不上了。因此，蜀军将士个个惊慌失措，都无计可施。诸葛亮却神态自若。他传令城内蜀军放倒旗帜，停止擂鼓，都待在营帐里不得随便出来，又命令士兵把四面城门打开，派人在门前洒水扫地。司马懿一向认为诸葛亮用兵谨慎持重，而今天竟然摆出这种虚弱的姿态，因此司马懿怀疑诸葛亮于城中埋伏重兵，于是率领大军退往北山去了。到了第二天吃饭的时候，诸葛亮同他的参谋们拍手大笑说："司马懿一定认为我是故意装出怯弱的样子，暗藏着强大的伏兵，所以才顺着北山退走了。"蜀军侦察人员此时回来报告，竟和诸葛亮所说的完全一样。司马懿后来知道了真实情况，十分后悔。

第三十三计
反间计

【解题】

反间计，意思是说在疑阵中再布疑阵，使敌内部自生矛盾，我方就可万无一失，就是巧妙地利用敌人的间谍反过来为我所用。在战争中，双方使用间谍是十分常见的。《孙子兵法》有《用间篇》，详细阐述了间谍的作用。唐代杜牧解释反间计时说："敌有间来窥我，我必先知之，或厚赂诱之，反为我用；或佯为不觉，示以伪情而纵之，则敌人之间，反为我用也。"

【原文】

疑中之疑[1]。比之自内，不自失也[2]。

【注释】

①疑：疑阵。

②比之自内，不自失也：出自《周易·比》卦。该卦上卦为坎为水，下卦为坤为地，地与水互相依赖。运用反间计，使敌人的阴谋为我所用。

【译文】

于疑阵中再布疑阵。利用敌之间谍行我方反间之计，是送上门的好处，于我无损。

【按语】

间者，使敌自相疑忌也；反间者，因敌之间而间之也。如燕昭王薨，惠王自为太子时，不快于乐毅。田单乃纵反间曰："乐毅与燕王有隙，畏诛，欲连兵王齐。齐人未附，故且缓攻即墨，以待其事。齐人唯恐他将来，即墨残矣。"惠王闻之，即使骑劫代将，毅遂奔赵。又如周瑜利用曹操间谍，以间其将，亦疑中之疑之局也。

【按语译文】

用间谍，就是使敌人内部互想猜疑、忌妒；用反间计，就是利用敌人的间谍来离间敌人。例如燕昭王死后，惠王立为太子，他对乐毅不满，田单就使用反间计说："乐毅和燕惠王不和，怕惠王杀他，他借攻齐为名，实际上是想联合齐国军队，自立为齐王。因为齐人还没有向他投降，所以他也不急于攻下即墨，为的是等待时机成熟。现在齐人最担心的，就是怕燕国改派别的大将前来，要是这样，即墨早就被攻破了。"燕惠王听后，马上用骑劫代替了乐毅，乐毅被迫逃到赵国去了。又例如周瑜利用曹操的间谍进行反间，离间曹操的大将。这也是疑阵中再布置疑阵的计谋。

【战例】

三国时期，诸侯争霸，曹操的势力逐步强大起来。对江东之地，曹操早有吞并之意。曹操率领大军，准备渡过长江，占据南方。当时，孙权和刘备正联合抗曹，但兵力比曹军少很多。曹操的队伍都由北方士兵组成，善于马战，不善于水战。只有两个精通水战的降将蔡瑁、张允为曹操训练水军。一次，东吴主帅周瑜见对岸曹军在水中摆阵，井井有条，十分在行，心中大惊。周瑜决定先除掉这两个人，否则，己方形势就非常被动。曹操想拉拢周瑜。曹营谋士蒋干愿意过江劝降。曹操当即让蒋干过江说服周瑜。周瑜见蒋干过江，知道蒋干所为何来。他热情款待蒋干，酒席上，周瑜让众战将作陪，炫耀武力，并规定只叙友情，不谈军事。宴会后，周瑜佯装大醉，约蒋干同床共眠。蒋干见周瑜不让他提及劝降之事，心中不安，无法入睡。蒋干偷偷下床，见周瑜书案上有一封信。他打开一看，原来是蔡瑁、张允写来的，约定与周瑜里应外合，击败曹操。这时，周瑜说着梦话，翻了翻身，吓得蒋干连忙上了床。过了一会儿，忽然有人要见周瑜，周瑜起身和来者说话，还故意装作看看蒋干是否睡熟。蒋干装作沉睡的样子，偷听周瑜他们小声谈话，但听不清楚，只听见提到蔡、张二人。于是蒋干对蔡、张二人和周瑜里应外合的计划确认无疑。他连夜赶回曹营，让曹操看了周瑜伪造的信件，曹操顿时大怒，杀了蔡瑁、张允。等曹操冷静下来，才知中了周瑜的反间之计，但也无可奈何了。后来，在赤壁大战中，曹操失败，损失了很多兵将。

第三十四计
苦肉计

【解题】

用苦肉计，是假装自己去做敌人的间谍，而实际上是到敌方从事间谍活动。派遣同己方有仇恨的人去迷惑敌人，不管是做内应也好，还是协同作战也好，都属于苦肉计。这一计是一种特殊的离间计。运用此计，“自害”是真，“他害”是假，以真乱假，己方要造成内部矛盾激化的假象，再派人装作受到迫害，借机钻到敌人心脏中去进行间谍活动，诱使敌方上当，从而取得战争的胜利。

【原文】

人不自害，受害必真。假真真假，间以得行①。童蒙之吉，顺以巽也②。

【注释】

①间以得行：离间计就可实行。

②童蒙之吉，顺以巽也：出自《周易·蒙》卦。幼稚蒙昧的人之所以吉利，是因为他顺从。

【译文】

人不自己迫害自己，受迫害必然是真的；真的变假，假的变真，离间计就可以实际了。《周易·蒙》卦说：把他骗得乖乖的，顺着他活动就能达到了自己的目的。

【按语】

间者，使敌人相疑也；反间者，因敌人之疑，而实其疑也。苦肉计者，盖假作自间以间人也。凡遣与己有隙者以诱敌人，约为响应，或约为共力者，皆苦肉计之类也。如郑武公伐胡而先以女妻胡君，并戮关其思；韩信下齐而骊生遭烹。

【按语译文】

做间谍，使敌人互相猜疑；做反间谍，利用敌人内心的猜疑增加他们的猜疑。苦肉计，是承认自己是间谍，再乘机进行间谍活动。凡是派遣与自己有仇的人去迷惑敌人，相约为内应，或相约共同起事的，都属于苦肉计一类的计谋。如郑武公在征伐胡以前，先把自己的女儿嫁给胡君，又杀掉了主张伐胡的大夫关其思。西汉初年，刘邦派郦食其劝齐王降汉，韩信乘机攻齐，齐王因此烹杀郦食其。

【战例】

春秋时期，吴王阖闾为夺取王位，用计谋杀了吴王僚。吴王僚的儿子庆忌决定为父报仇，他在卫国扩大势力，等待机会。阖闾同伍子胥商量如何除掉庆忌，以绝后患。伍子胥向阖闾推荐了一名智勇双全的勇士要离。阖闾见要离后，看到要离矮小瘦弱，不相信要离有此能力。阖闾问道："庆忌人高马大，勇力过人，你如何杀得了他？"要离说："刺杀庆忌，靠智不靠力。只要能接近他，事情就好办。"阖闾说："你怎么能够接近他呢？"要离说："只要大王砍断我的右臂，杀掉我的妻子，我就能取信于庆忌。"阖闾听后不肯答应。要离说："这是我心甘情愿的。"阖闾同意了要离的计策。之后，吴国有传言说阖闾弑君篡位，是无道昏君。吴王下令追查，原来流言是要离散布的。阖闾下令捉拿要离和他的妻子，要离当面大骂昏君。阖闾假装追查此事，没有杀要离，只是斩断了他的右臂，把他夫妻二人关进了监狱。几天后，伍子胥让狱卒放松看管，让要离乘机逃出。阖闾听说要离逃跑了，就杀了他的妻子。这件事卫国也知道了。要离逃到卫国，求见庆忌，请求庆忌为他报断臂杀妻之仇。庆忌听了他的故事后，十分感动。要离成了庆忌的贴身亲信，劝说庆忌伐吴。庆忌乘船向吴国进发，要离趁着庆忌没有防备，从背后用矛刺穿了庆忌的胸膛。庆忌的卫士要捉拿要离，庆忌说："敢杀我的也是个勇士，放他走吧！"庆忌终因失血过多而死。

第三十五计

连环计

【解题】

连环计，意思是一计累敌，一计攻敌，两计扣用。“大凡用计者，非一计之可孤行，必有数计以勷之也。……故善用兵者，行计务实施。运巧必防损，立谋虑中变。”这说明用计重在有效果，一计不成，又出多计，在情况变化时，要相应再出计，这样才能使敌方防不胜防。

【原文】

将多兵众，不可以敌，使其自累[1]，以杀其势[2]。在师中吉，承天宠也[3]。

【注释】

①累：羁绊，牵制。

②杀：削弱，减少。

③在师中吉，承天宠也：出自《周易·师》卦的《象》辞，意思是主帅在军中指挥一定会吉利，因为得到了上天的宠爱。

【译文】

敌方兵力强大，不能硬打，应当运用谋略，使他们自相牵制，借以削弱他们的力量。主帅在军中运用此计，能获得胜利，因为有上天的宠爱。

【按语】

庞统使曹操战舰勾连，而后纵火焚之，使不得脱。则连环计者，其结在使敌自累，而后图之。盖一计累敌，一计攻敌，两计扣用，以摧强势也。如宋毕再遇尝引敌与战，且前且却，至于数四。视日已晚，乃以香料煮黑豆，布地上。复前博战，佯败走。敌乘胜追逐，其马已饥，闻豆香，乃就食，鞭之不前。遇率师反攻，遂大胜。皆连环之计也。

【按语译文】

庞统建议曹操把战船连起来，然后纵火焚烧，使船只无法逃脱。使用连环计，就是先让敌人自相羁绊，然后再谋攻击的策略。前一计累敌，后一计攻敌，结合运用，任何强敌都能被摧毁。如宋代毕再遇，曾用计引诱敌人作战。他忽而前进，忽而后退，就这样三番五次地把敌人缠住。到天色昏暗的时候，他把事先用香料煮好的黑豆撒在阵地上。再去向敌人挑战，一会儿又故意败退。敌人乘胜追击，但是他们的战马已经饥饿了，闻到豆子的香味，都只顾抢着吃，任人怎么用鞭子抽打，也不肯再向前进。这时，毕再遇率领军队进行还击，回头猛攻敌人，因此大获全胜。这都是连环计的运用。

【战例】

宋代时，宋金两国连年交战。一次，宋大将毕再遇率军与金兵交战。当时，金兵士气旺盛，占有明显优势。

毕再遇命令部队不得与敌正面交锋，采用游击战术，敌进我退，敌退我进，这样退退进进，打打停停，令金兵疲惫不堪。到夜晚时，毕再遇又命令士兵准备了许多用香料煮好的黑豆，并将这些黑豆撒在阵地上。然后，又突然袭击金兵。金兵应战时，毕再遇又命军队全部败退。金兵以为宋军败局已定，就下令追击，但金兵的马此时又累又饿，闻到香喷喷的黑豆的味道，就吃起了黑豆，不肯前进了。金兵赶不动马，在黑夜中一时没了主意，显得十分混乱。毕再遇这时调集全部部队，突然从四面包围过来，杀得金兵人仰马翻，取得了胜利。

第三十六计
走为上

【解题】

这一计出自《南齐书·王敬则传》："檀公三十六策，走为上计。"走为上，运用在军事上，是指在敌我双方力量悬殊，己方处于下风时，有计划地主动撤退，暂时避开强敌，等待机会，以退为进，为以后的作战保存实力。

【原文】

全师避敌[1]，左次无咎，未失常也[2]。

【注释】

①全师避敌：全军撤退，避开强敌。

②左次无咎，未失常也：语出《周易·师》卦。

【译文】

全军退却，避开强敌，采取退舍的策略，并且这也不违背用兵的常规。

【按语】

敌势全胜，我不能战，败必降、必和、必走。降则全败，和则半败，走则未败。未败者，胜之转机也。如宋毕再遇与金人对垒，度金兵至者日众，难与争锋。一夕拔营去，留旗帜于营。豫缚生羊悬之，置其前二足于鼓上，羊不堪悬，则足击鼓有声。金人不觉为空营，相持数日，乃觉，欲追之，则已远矣。可谓善走者矣！

【按语译文】

敌方兵力占据绝对优势，我方不能战胜他，只有投降、讲和与退却三条路可走。投降是彻底失败，讲和是一半失败，退却不等于失败，而是转败为胜的机会。如宋代毕再遇跟金人对抗，因为金兵强大，而且每天来的援兵很多，难以与之核战争，他就在一夜之间把队伍完全撤走，只把旗帜留在阵地上。并预先把羊倒吊起来，把羊的两只前腿放在鼓上，羊被吊得难受，两腿不停地乱动，就使鼓发出咚咚的响声。金人日夜听到鼓声，没有起疑心，不知道毕再遇早已撤走了。几天之后，金人才发觉，想追击，但是毕再遇已率军撤得远远的了。这也是善于退却的例子。

【战例】

春秋时，诸侯争霸。楚庄王为了扩张势力，发兵攻打庸国。庸国军队奋力抵抗，楚军一时无法取胜。庸国在一次战斗中俘虏了楚将杨窗，但由于庸国疏忽，杨窗竟从庸国逃了出来。杨窗回到楚军后，报告了庸国的情况，说道："庸国军队人人奋战，士气很强，我们恐怕一时难以取胜。"楚将师叔建议用佯装败退之计，以骄庸军。于是师叔带兵进攻，开战不久，楚军佯装难以招架，败下阵来，向后撤退。庸国军队见楚军败退，就进行追赶。再战，楚军又败。像这样一连几次之后，庸军不由得骄傲起来，不把楚军放在眼里。庸国军队上下的军心开始麻痹，斗志渐渐松懈。这时，楚国的增援部队赶来。师叔说："我军七次佯装败退，庸人已十分骄傲，现在正是发动总攻的大好时机。"楚庄王下令兵分两路进攻庸国。庸国将士正陶醉在胜利之中，怎么也想不到楚军会突然杀回，仓促应战，抵挡不住。楚军一举消灭了庸国。